每天背「英文一字金」，
使原本習慣說中文的嘴部發音肌肉，
變成適合說英文，
說起英文來，不再費力。

不限年齡、不分程度，
只要唸「英文一字金」，
人人都可學好英文。

背句子是學習英文的趨勢，
句子一定要短，越短越好。

背到變成直覺，
不要思考就能脫口而出，
是最有成就感，最快樂的時候。

補品？毒藥？

　　我年輕的時候，為了保持身體健康，每天早上喝一杯果汁，吃一盤水果、一碗燕窩，居然讓我的身體變得更虛弱、很怕冷，咳嗽不止。

　　有一位美國回來的中醫博士洪一心醫師，她告訴我，我是屬於寒性體質，怎麼能吃這些寒性的東西呢？大部份的水果和燕窩，都是寒性的食物，寒性體質的人，不適合吃。經過改變後，吃熱性的食物，每天都覺得輕鬆、舒適，精力充沛。現在已經知道，我連一點寒性的食物都不能吃。吃一個蕃茄、吃一片西瓜，都會身體不舒服。

　　寒性體質一定要吃熱性食物；熱性體質要吃寒性食物，吃錯了，就會傷害身體。我有一位朋友，長得很漂亮，但是全身發臭、口臭、滿臉青春痘。一問才知道，他是熱性體質，很怕熱，他卻最喜歡吃榴槤、荔枝和龍眼。經過改正後，熱性食物完全不吃，現在皮膚變得很好，散發出自然的香味，每天都很有精神。

　　食物的名稱一定要背，你才不會吃錯。用「一口氣英語」的方式，巧妙安排後，背英文，比背中文還要簡單。一口氣背完，終生不忘記，這真是個背單字的好方法！

劉　毅

目錄

INDEX

 **Eat Healthy**

1. **Hot-Natured Foods**
熱性食物【怕冷的人要吃】

看英文唸出中文	一口氣說九句	看中文唸出英文
date [1] 〔 det 〕*n.*	字首是 D 〔 **Date.** 棗子。	棗子
durian 〔ˈdurɪən 〕*n.*	**Durian.** 榴槤。	榴槤
almond [2] 〔ˈɑmənd , 　ˈæmənd 〕*n.*	**Almond.** 杏仁。	杏仁
longan 〔ˈlɑŋgən 〕*n.*	字首是 L 〔 **Longan.** 龍眼。	龍眼
lichee 〔ˈlitʃi 〕*n.*	**Lichee.** 荔枝。	荔枝
cherry [3] 〔ˈtʃɛrɪ 〕*n.*	形狀與前兩個相似 **Cherry.** 櫻桃。	櫻桃
peach [2] 〔 pitʃ 〕*n.*	**Peach.** 桃子。	桃子
guava [2] 〔ˈgwɑvə 〕*n.*	**Guava.** 番石榴。	番石榴
olive [5] 〔ˈɑlɪv 〕*n.*	**Olive.** 橄欖。	橄欖

【背景説明1】

　　Date.-Durian.-Almond. 前兩個字是 D 開頭，almond（杏仁）有兩個發音，但美國人多唸〔ˊɑmənd〕。Longan.-Lichee.-Cherry. 前兩個字是 L 開頭，cherry（櫻桃）又和 longan（龍眼）、lichee（荔枝）一樣，是圓圓的。英文一字多義，像 date 當名詞時，有三個意思：①日期②約會③棗子。lichee（荔枝）也可説成：lychee〔ˊlaɪtʃi〕或 litchi〔ˊlaɪtʃi〕。

　　當你背這九個字的時候，你就無形中注意到，自己該吃或不該吃。句子越短，越容易放在長期記憶中。

You have to eat according to your nature.
（你必須依照自己的體質吃東西。）

Great advice.
（很棒的建議。）

If you always fear cold, you must eat hot-natured food.
（如果你總是很怕冷，你必須吃熱性食物。）

I understand.
（我知道。）

【對話練習】

What are hot-natured foods?

Those are foods that increase your body heat.

Really? Like what?

Dates, durians, almonds, longans, lichees, cherries, peaches, guavas, and olives are a few examples.

OK, but why should I eat these?

If you're always cold, these will warm you up. Also, hot-natured foods help in digestion and circulation.

Thanks.
I'll remember that.

── 【中文翻譯】 ──────────

: 什麼是熱性食物？

: 它們是會使你的身體變得更熱的食物。

: 眞的嗎？像是什麼？

: 棗子、榴槤、杏仁、龍眼、荔枝、櫻桃、桃子、芭樂，
　和橄欖，就是其中的一些例子。

: 好的，但我爲什麼應該吃這些？

: 如果妳總是覺得冷，這些食物會使妳變溫暖。而且，
　熱性食物對消化和循環有幫助。

: 謝謝。我會記得的。

** nature〔'netʃə〕*n.* 性質
　hot-natured〔'hɑt'netʃəd〕*adj.* 熱性的
　increase〔ɪn'kris〕*v.* 增加
　heat〔hit〕*n.* 熱　like〔laɪk〕*prep.* 像是
　warm up 使溫暖　also〔'ɔlso〕*adv.* 而且
　digestion〔də'dʒɛstʃən , daɪ-〕*n.* 消化
　circulation〔ˌsɝkjə'leʃən〕*n.* 循環

 **Eat Healthy**

2. **Cold-Natured Foods (1)**
寒性食物【怕熱的人要吃】

看英文唸出中文	一口氣說九句		看中文唸出英文
pear ² 〔 pɛr 〕*n.*	字首是P	*Pear.* 梨子。	梨子
pomelo 〔'pɑmələ 〕*n.*		*Pomelo.* 柚子。	柚子
persimmon 〔 pɚ'sɪmən 〕*n.*		*Persimmon.* 柿子。	柿子
plum ³ 〔 plʌm 〕*n.*	接上面 ←	*Plum.* 李子。	李子
melon ² 〔'mɛlən 〕*n.*	都有 melon	*Melon.* 香瓜。	香瓜
watermelon ² 〔'wɔtɚˌmɛlən 〕*n.*		*Watermelon.* 西瓜。	西瓜
strawberry ² 〔'strɔˌbɛrɪ 〕*n.*	字尾都是 berry	*Strawberry.* 草莓。	草莓
mulberry 〔'mʌlˌbɛrɪ 〕*n.*		*Mulberry.* 桑椹。	桑椹
banana ¹ 〔 bə'nænə 〕*n.*		*Banana.* 香蕉。	香蕉

【對話練習】

What are cold-natured foods?

Those are foods that lower your body heat.

Can you give me an example?

Sure. Pears, pomelos, persimmons, plums, melons, watermelons, strawberries, mulberries, and bananas are all cold-natured.

I love those things!

Me too. Just remember to maintain a balance between hot and cold foods.

【中文翻譯】

：什麼是寒性食物？

：它們是能降低你身體的熱的食物。

：你能給我一個例子嗎？

：當然。梨子、柚子、柿子、李子、香瓜、西瓜、草莓、桑椹，和香蕉，全都是寒性的。

：我很愛那些食物！

：我也是。只是要記得，要在熱性和寒性食物之間取得平衡。

** cold-natured〔ˋkoldˋnetʃəd〕*adj.* 寒性的

lower〔ˋloɚ〕*v.* 降低　　heat〔hit〕*n.* 熱

example〔ɪgˋzæmpḷ〕*n.* 例子

maintain〔menˋten〕*v.* 維持

balance〔ˋbæləns〕*n.* 平衡

【劉毅老師的話】

　　寒性體質絕對不能再吃寒性食物。雖然梨子（pear）、柚子（pomelo）、柿子（persimmon）都可治咳嗽，但是適合熱性體質的人。怕冷的人絕對不能吃寒性的水果，越吃越嚴重。

Eat Healthy

3. Cold-Natured Foods (2)
寒性食物【怕熱的人要吃】

看英文唸出中文	一口氣説九句	看中文唸出英文	
starfruit ('stɑr,frut) *n.*	都有 fruit	*Starfruit.* 楊桃。	楊桃
grapefruit⁴ ('grep,frut) *n.*		*Grapefruit.* 葡萄柚。	葡萄柚
dragon fruit ('drægən ,frut) *n.*		*Dragon fruit.* 火龍果。	火龍果
tomato² (tə'meto) *n.*	字首是 T	*Tomato.* 蕃茄。	蕃茄
tangerine² ('tændʒə,rin) *n.*		*Tangerine.* 橘子。	橘子
kiwi ('kiwɪ) *n.*		*Kiwi.* 奇異果。	奇異果
loquat ('lokwɑt) *n.*	字首是 Mango （芒果）	*Loquat.* 枇杷。	枇杷
mangosteen ('mæŋgə,stin) *n.*		*Mangosteen.* 山竹。	山竹
wax apple ('wæks ,æpl̩) *n.*	wax 是蠟	*Wax apple.* 蓮霧。	蓮霧

【背景説明 2】

Pear.-Pomelo.-Persimmon. 都是 P 開頭，Plum. 接著上面的
P。Melon.-Watermelon. 都有 melon。注意，可把 plum melon 和
watermelon 一起背較快。Strawberry. 和 Mulberry. 都有 berry（漿
果）。banana（香蕉）的果實，有點像漿果。這九個字唸兩遍，就可
背下來，唸 30 遍，就變成長期記憶。

【背景説明 3】

Starfruit.-Grapefruit.-Dragon fruit.，這三個都有 fruit。starfruit
（楊桃）不能吃太多，會影響到腎。注意：dragon fruit（火龍果）不
能寫成 dragonfruit（誤）。有便祕時，可吃 dragon fruit。Tomato.-
Tangerine.-Kiwi.，前兩個字的字首都是 T。tangerine 是「橘子；
柑橘」，是較小的橘子，容易剝開，
而 orange 則是「柳橙」或「大的橘
子」。kiwi（奇異果）有治療便祕的
效果。

orange   tangerine

loquat（枇杷）雖然可治咳嗽，但寒性體質的人要避免。
mangosteen（山竹），背這個字，可先背 mango（芒果）。wax apple
（蓮霧）字面的意思是「打蠟的蘋果」，因為蓮霧的外表看起來像打過
蠟。蓮霧的皮有許多種農藥，吃的時候最好把皮削掉。

If you always fear heat, you
must eat cold-natured food.
（如果你總是很怕熱，你必須
吃寒性食物。）

I comprehend.
（我明白。）

【對話練習】

I have a problem.

What's wrong?

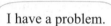

My doctor told me to eat more cold-natured fruits.

And?

I don't know what they are!

Easy. Starfruits, grapefruits, dragon fruits, tomatoes, tangerines, kiwis, loquats, mongosteens, and wax apples are cold-natured.

Thank you so much!

【中文翻譯】

：我有一個問題。

：怎麼了？

：我的醫生告訴我，要多吃寒性水果。

：然後呢？

：我不知道什麼是寒性水果！

：簡單。楊桃、葡萄柚、火龍果、蕃茄、橘子、奇異果、枇杷、山竹，和蓮霧，都是寒性的。

：非常感謝！

** wrong〔rɔŋ〕*adj.* 不對勁的

What's wrong? 怎麼了？

【劉毅老師的話】

　　水果對身體有益，但大多是寒性的，吃的時候要小心。怕熱的人要多吃水果，特別是寒性水果。

Eat According to Your Nature

According to Chinese doctors' advice, you have to know your body's nature. *Choose wisely*. You'll stay healthy forever.

If you always fear cold, *you must eat hot-natured food*, like dates, durians, almonds, longan, lichees, cherries, peaches, guava, and olives. These fruits will increase your body heat. You'll feel relaxed, comfortable, and high-spirited every day.

On the other hand, if you always fear heat, *you must eat cold-natured food* to lower your body heat. Pears, pomelos, persimmons, plums, melon, watermelon, strawberries, mulberries, bananas, etc. are cold-natured fruits.

Eat more fruit and vegetables. Don't eat too much red meat. *Eat right*, *and you'll live longer*. A healthy life is waiting for you.

依照自己的體質吃東西

根據中醫師的建議,你必須知道自己的體質。要明智地選擇。你將會永遠保持健康。

如果你總是很怕冷,你就必須吃熱性食物,像棗子、榴槤、杏仁、龍眼、荔枝、櫻桃、桃子、番石榴,和橄欖。這些水果會增加你身體的熱。你每天都會覺得放鬆、舒服,而且很有精神。

另一方面,如果你總是很怕熱,你就必須吃寒性食物,來降低你身體的熱。梨子、柚子、柿子、李子、香瓜、西瓜、草莓、桑椹、香蕉等,都是寒性水果。

要多吃水果和蔬菜。不要吃太多紅肉。如果你吃得對,就會活得久。健康的人生正等待著你。

 **Eat Healthy**

4. **Neutral-Natured Foods (1)**

平性食物【適合各種體質】

看英文唸出中文	一口氣說九句	看中文唸出英文	
apple [1] 〔 ′æpḷ 〕 *n.*	都有 apple	*Apple.* 蘋果。	蘋果
pineapple [2] 〔 ′paɪnˌæpḷ 〕 *n.*		*Pineapple.* 鳳梨。	鳳梨
custard apple 〔 ′kʌstɚd ˌæpḷ 〕 *n.*		*Custard apple.* 釋迦。	釋迦
lime [5] 〔 laɪm 〕 *n.*	字首 是 L	*Lime.* 萊姆。	萊姆
lemon [2] 〔 ′lɛmən 〕 *n.*		*Lemon.* 檸檬。	檸檬
orange [1] 〔 ′ɔrɪndʒ 〕 *n.*		*Orange.* 柳橙。	柳橙
grape [2] 〔 grep 〕 *n.*	字尾 是 o	*Grape.* 葡萄。	葡萄
mango [2] 〔 ′mæŋgo 〕 *n.*		*Mango.* 芒果。	芒果
avocado 〔 ˌævə′kɑdo 〕 *n.*		*Avocado.* 酪梨。	酪梨

【背景説明4】

　　Apple.-Pineapple.-Custard apple.，三個都有 **apple**，唸一遍就可背下來。apple（蘋果）是最佳的水果，才會有諺語：An apple a day keeps the doctor away.（一天吃一顆蘋果，不用看醫生。）pineapple（鳳梨）是 pine（松樹）＋apple，松樹的皮和鳳梨的皮相似。custard〔ˊkʌstəd〕*n.* 卡士達醬（由牛奶、蛋、糖製成），因為「釋迦」的果肉吃起來像 custard，所以叫 custard apple，因為很甜，又稱為 sugar apple。

唸 Apple.-Pineapple.-Custard apple. 時，不要忘記 apple 的 a 讀 /æ/，中文裡沒有這個音，唸的時候嘴巴要裂開才行。

custard apple

　　Lime.-Lemon.-Orange.，前兩個字的字首都是 **L**，**lime**（萊姆）其實就是皮薄的檸檬。orange 是「柳橙」或「大的橘子」。因為 orange 太甜，有時會加上 lime 或 lemon 吃，所以將這三個字排在一起。

lime　　　　　　　　　lemon

　　Grape.-Mango.-Avocado. 後兩個字都是 **o** 結尾。avocado（酪梨）源自西班牙文，字尾是母音，重音在倒數第二音節上。酪梨可預防心血管疾病和某些癌症，但酪梨的熱量在水果中較高，每 100 公克約 58 大卡，可把酪梨果肉加牛奶，打成酪梨牛奶飲用。

avocado

【對話練習】

Are there only hot and cold-natured foods?

No, there are also neutral-natured foods, which are neither hot nor cold.

What are they?

Apples, pineapples, custard apples, limes, lemons, oranges, grapes, mangos, and avocados are considered neutral.

I'm learning a lot from you!

Glad to hear it.

┌─ 【中文翻譯】────────────────────┐

: 只有熱性和寒性食物嗎？

: 不，也有中性食物，既不是熱性，也不是寒性的。

: 什麼是中性食物？

: 蘋果、鳳梨、釋迦、萊姆、檸檬、柳橙、葡萄、芒
果，和酪梨，都被認為是中性的。

: 我跟你學到很多！

: 聽妳這麼說，我很高興。

└──────────────────────────────┘

** neutral 〔'njutrəl 〕 *adj.* 中性的

neither A nor B 既不 A，也不 B

consider 〔 kən'sɪdɚ 〕 *v.* 認為

***be considered* (*to be*)** 被認為是

glad 〔 glæd 〕 *adj.* 高興的

Glad to hear it*. 是由 I'm glad to hear it. 簡化而來。*

┌─【劉毅老師的話】─────────────┐
│
檸檬加蜂蜜對人體有益，但儘量喝常
溫或溫熱的。根據中醫的說法，不宜多喝
冰水。
│
└──────────────────────────────┘

Eat Healthy

5. Neutral-Natured Foods (2)

平性食物【適合各種體質】

看英文唸出中文	一口氣說九句	看中文唸出英文	
sesame 〔ˈsɛsəmɪ 〕*n.*	字首都是 S	*Sesame.* 芝麻。	芝麻
sugarcane 〔ˈʃʊgɚˌken 〕*n.*		*Sugarcane.* 甘蔗。	甘蔗
sweet potato 〔ˈswit pəˈteto 〕*n.*		*Sweet potato.* 地瓜。	地瓜
peanut² 〔ˈpiˌnʌt 〕*n.*	字首都是 P	*Peanut.* 花生。	花生
papaya² 〔 pəˈpaɪə 〕*n.*		*Papaya.* 木瓜。	木瓜
passion fruit 〔ˈpæʃən ˌfrut 〕*n.*		*Passion fruit.* 百香果。	百香果
fig 〔 fɪg 〕*n.*	兩短一長	*Fig.* 無花果。	無花果
yam¹ 〔 jæm 〕*n.*		*Yam.* 山藥。	山藥
pomegranate 〔ˈpɑmˌgrænɪt , ˈpɑmə- 〕*n.*		*Pomegranate.* 石榴。	石榴

【背景説明 5】

S̲esame.-S̲ugarcane.-S̲weet potato.，字首都是 S。
sesame 是「芝麻」，還有一種是 black sesame（黑芝麻），
黑芝麻含有鈣質，多吃頭髮會變黑，也能增強抵抗力，好處
很多。sugarcane（甘蔗）是 sugar（糖）＋cane（籐條）。
sweet potato（地瓜）要多吃，有助於排毒、抗癌。P̲eanut.-
P̲apaya.-P̲assion fruit. 三個都是 P 開頭。passion fruit（百
香果）中的 passion 是「熱情」。

Fig.-Yam.-Pomegranate.，兩短一長，有助於記憶。yam
字典上大多翻成「蕃薯」，其實「蕃薯」是 sweet potato，而 yam
是「山藥」，或「白肉地瓜」，「黃肉地瓜；紅肉地瓜」則是 sweet
potato。「山藥」也可説成 Chinese yam。

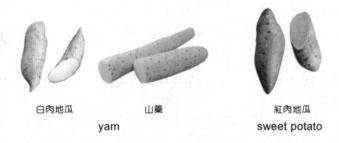

白肉地瓜　　　　山藥　　　　　　紅肉地瓜
　　yam　　　　　　　　　　sweet potato

　　pomegranate（石榴）這個字難背，所以放到最後，背
的時候，沒有壓力。這個字你非會不可，因爲石榴是太重要
的水果了。快感冒時，把石榴的籽挖出來吃，可增強抵抗
力，它也有美容作用，有機會要多吃，這個字的唸法是：

pome-gra-nate。背 pomegranate 這個字，可比較 <u>pome</u>lo（柚子）、<u>granite</u>（花崗岩），花崗岩的紋路和石榴的果皮有點像。

pomelo　　　　　granite　　　　　pomegranate

　　把這些食物名稱一次背完，無形中你就知道什麼該吃、什麼不該吃，慢慢你的身體變好了，英文也進步了。把必須背的單字，一組一組地背下來，背到變成直覺，又不會忘記，日積月累下來，就不得了了！當你碰到外國人，就有衝動要把你背的東西說出來，他們一定會非常佩服你。

Know your body.（要了解你的身體。）
Choose wisely.（要聰明地選擇。）
Stay sickness free.（免於生病。）

You're so right.
（你說得很對。）

【對話練習】

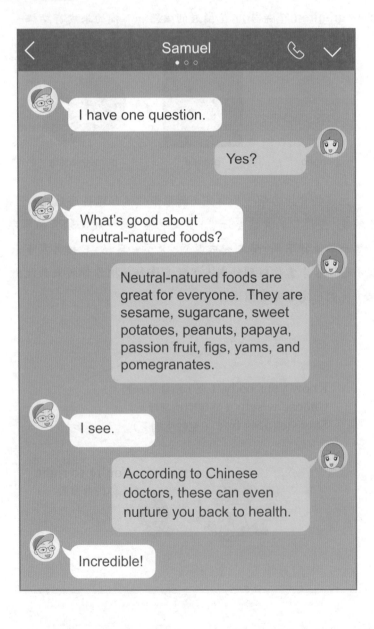

【中文翻譯】

👓：我有一個問題。

🙂：是什麼？

👓：平性食物有什麼好處？

🙂：平性食物適合每一個人。它們是芝麻、甘蔗、地瓜、花生、木瓜、百香果、無花果、山藥，和石榴。

👓：我知道了。

🙂：根據中醫的說法，這些食物甚至能提供營養，讓你恢復健康。

👓：眞是令人難以置信！

** yes〔jɛs〕*adv.*【回答呼喚】什麼事？
great〔gret〕*adj.* 極好的
see〔si〕*v.* 知道　　***according to*** 根據
nurture〔'nɝtʃɚ〕*v.* 給…營養物
back〔bæk〕*adv.* 回復　　health〔hɛlθ〕*n.* 健康
incredible〔ɪn'krɛdəbḷ〕*adj.* 令人難以置信的

Eat Healthy

6. Toxic Foods
有毒的食物

看英文唸出中文	一口氣說九句	看中文唸出英文
alcohol[4] （ˈælkəˌhɔl）n.	**Alcohol.** 酒類。	酒類
animal organ （ˈænəml̩ ˈɔrgən）n.	字首都是A { **Animal organs.** 動物內臟。	動物 內臟
artificial sweetener （ˌɑrtəˈfɪʃəl ˈswitn̩ə）n.	**Artificial sweetener.** 人工甜味劑。	人工 甜味劑
barbecue[2] （ˈbɑrbɪˌkju）n.	A之後是B字首是F { **Barbecue.** 燒烤。	燒烤
fat[1] （ fæt ）n.	**Fat.** 肥肉。	肥肉
fried food （ˈfraɪd ˌfud）n.	**Fried food.** 油炸食品。	油炸 食品
MSG （ˈɛmˈɛsˈdʒi）n.	**MSG.** 味精。	味精
instant noodles （ˈɪnstənt ˈnudl̩z）n. pl.	都有MSG { **Instant noodles.** 速食麵。	速食麵
pickled product （ˈpɪkl̩d ˈprɑdəkt）n.	**Pickled products.** 醃漬品。	醃漬品

【背景説明 6】

Alcohol.-Animal organs.-Artificial sweetener. 三個都是 A 開頭，由短到長，容易記憶。alcohol「酒類」(＝*alcoholic beverage*) 會增加罹癌的風險。animal organs「動物內臟」中，organ 是「器官」。所有添加物，如瘦肉精等，都會集中出現在內臟中，是毒素最容易累積的部位。artificial sweetener (人工甜味劑) 會在胃中產生毒素。

barbecue (燒烤) 是誘發癌症的因子。fat「肥肉」(＝*fatty meat*) 會引起脂肪肝、高血壓、心臟病、血管阻塞、硬化等。fried food (油炸食品) 是致癌物質，會導致心血管疾病。

No barbecue!

MSG「味精」(＝*monosodium glutamate*)，兒童吃多了，會發育不正常；老人吃多了，會有高血壓。instant noodles「速食麵」又稱「泡麵」，會有對人體有害的色素和防腐劑。pickled products (醃漬品) 會導致高血壓、鼻咽癌，腎負擔過重。

pickled products

你可以跟外國人說：

If you want to age gracefully, you have to avoid toxic foods.

（如果你想老得慢，就要避免吃有毒的食物。）

【toxic〔ˈtɑksɪk〕*adj.* 有毒的】

【對話練習】

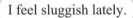

I feel sluggish lately.

Are you exercising?

Yes! Every morning. But after lunch I feel bad again.

Maybe you're eating toxic foods?

What's that?

Alcohol, animal organs, artificial sweeteners, barbecue, fats, fried foods, MSG, instant noodles, and pickled products are all bad for you.

No wonder I've been sick. I've been eating toxic foods!

─── 【中文翻譯】 ───

：最近我覺得懶洋洋的。

：妳有在運動嗎？

：有！每天早上。但是吃完午餐後，我又覺得不舒服了。

：也許妳正在吃有毒的食物？

：那是什麼？

：酒類、動物內臟、人工甜味劑、燒烤、肥肉、油炸食品、味精、速食麵，以及醃漬品，全都對妳有害。

：難怪我一直生病。我一直在吃有毒的食物！

** sluggish〔'slʌgɪʃ〕*adj.* 懶洋洋的；動作遲緩的
lately〔'letlɪ〕*adv.* 最近　　organ〔'ɔrgən〕*n.* 器官
artificial〔ˌɑrtə'fɪʃəl〕*adj.* 人造的；人工的
sweetener〔'switn̩ɚ〕*n.*（人工）甘味料
fried〔fraɪd〕*adj.* 油炸的
instant〔'ɪnstənt〕*adj.* 立即的；速食的
noodles〔'nudl̩z〕*n. pl.* 麵
pickled〔'pɪkl̩d〕*adj.* 醃泡（過）的
no wonder 難怪

自我測驗 1～6

※ 請看下面中文，唸出英文來，你會唸得很痛快。

1. □ 棗子 ＿＿＿＿＿＿＿＿
　 □ 榴槤 ＿＿＿＿＿＿＿＿
　 □ 杏仁 ＿＿＿＿＿＿＿＿

　 □ 龍眼 ＿＿＿＿＿＿＿＿
　 □ 荔枝 ＿＿＿＿＿＿＿＿
　 □ 櫻桃 ＿＿＿＿＿＿＿＿

　 □ 桃子 ＿＿＿＿＿＿＿＿
　 □ 番石榴 ＿＿＿＿＿＿＿
　 □ 橄欖 ＿＿＿＿＿＿＿＿

2. □ 梨子 ＿＿＿＿＿＿＿＿
　 □ 柚子 ＿＿＿＿＿＿＿＿
　 □ 柿子 ＿＿＿＿＿＿＿＿

　 □ 李子 ＿＿＿＿＿＿＿＿
　 □ 香瓜 ＿＿＿＿＿＿＿＿
　 □ 西瓜 ＿＿＿＿＿＿＿＿

　 □ 草莓 ＿＿＿＿＿＿＿＿
　 □ 桑椹 ＿＿＿＿＿＿＿＿
　 □ 香蕉 ＿＿＿＿＿＿＿＿

3. □ 楊桃 ＿＿＿＿＿＿＿＿
　 □ 葡萄柚 ＿＿＿＿＿＿＿
　 □ 火龍果 ＿＿＿＿＿＿＿

　 □ 蕃茄 ＿＿＿＿＿＿＿＿
　 □ 橘子 ＿＿＿＿＿＿＿＿
　 □ 奇異果 ＿＿＿＿＿＿＿

　 □ 枇杷 ＿＿＿＿＿＿＿＿
　 □ 山竹 ＿＿＿＿＿＿＿＿
　 □ 蓮霧 ＿＿＿＿＿＿＿＿

4. □ 蘋果 ＿＿＿＿＿＿＿＿
　 □ 鳳梨 ＿＿＿＿＿＿＿＿
　 □ 釋迦 ＿＿＿＿＿＿＿＿

　 □ 萊姆 ＿＿＿＿＿＿＿＿
　 □ 檸檬 ＿＿＿＿＿＿＿＿
　 □ 柳橙 ＿＿＿＿＿＿＿＿

　 □ 葡萄 ＿＿＿＿＿＿＿＿
　 □ 芒果 ＿＿＿＿＿＿＿＿
　 □ 酪梨 ＿＿＿＿＿＿＿＿

5. □ 芝麻 ＿＿＿＿＿＿＿＿
　 □ 甘蔗 ＿＿＿＿＿＿＿＿
　 □ 地瓜 ＿＿＿＿＿＿＿＿

　 □ 花生 ＿＿＿＿＿＿＿＿
　 □ 木瓜 ＿＿＿＿＿＿＿＿
　 □ 百香果 ＿＿＿＿＿＿＿

　 □ 無花果 ＿＿＿＿＿＿＿
　 □ 山藥 ＿＿＿＿＿＿＿＿
　 □ 石榴 ＿＿＿＿＿＿＿＿

6. □ 酒類 ＿＿＿＿＿＿＿＿
　 □ 動物內臟 ＿＿＿＿＿＿
　 □ 人工甜味劑 ＿＿＿＿＿

　 □ 燒烤 ＿＿＿＿＿＿＿＿
　 □ 肥肉 ＿＿＿＿＿＿＿＿
　 □ 油炸食品 ＿＿＿＿＿＿

　 □ 味精 ＿＿＿＿＿＿＿＿
　 □ 速食麵 ＿＿＿＿＿＿＿
　 □ 醃漬品 ＿＿＿＿＿＿＿

※ 請看下面英文，唸出中文來，還有哪個字你不認識嗎 ?!

1. ☐ date _____
   ☐ durian _____
   ☐ almond _____

   ☐ longan _____
   ☐ lichee _____
   ☐ cherry _____

   ☐ peach _____
   ☐ guava _____
   ☐ olive _____

2. ☐ pear _____
   ☐ pomelo _____
   ☐ persimmon _____

   ☐ plum _____
   ☐ melon _____
   ☐ watermelon _____

   ☐ strawberry _____
   ☐ mulberry _____
   ☐ banana _____

3. ☐ starfruit _____
   ☐ grapefruit _____
   ☐ dragon fruit _____

   ☐ tomato _____
   ☐ tangerine _____
   ☐ kiwi _____

   ☐ loquat _____
   ☐ mangosteen _____
   ☐ wax apple _____

4. ☐ apple _____
   ☐ pineapple _____
   ☐ custard apple _____

   ☐ lime _____
   ☐ lemon _____
   ☐ orange _____

   ☐ grape _____
   ☐ mango _____
   ☐ avocado _____

5. ☐ sesame _____
   ☐ sugarcane _____
   ☐ sweet potato _____

   ☐ peanut _____
   ☐ papaya _____
   ☐ passion fruit _____

   ☐ fig _____
   ☐ yam _____
   ☐ pomegranate _____

6. ☐ alcohol _____
   ☐ animal organ _____
   ☐ artificial sweetener _____

   ☐ barbecue _____
   ☐ fat _____
   ☐ fried food _____

   ☐ MSG _____
   ☐ instant noodles _____
   ☐ pickled product _____

Eat Healthy

7. Detox Foods

排毒食物【維持健康的關鍵】

看英文唸出中文	一口氣説九句		看中文唸出英文

broccoli
〔'brɑkəlɪ〕*n.*

cauliflower
〔'kɔlə,flauɚ〕*n.*

bamboo shoots
〔bæm'bu ,ʃuts〕*n. pl.*

字首是 B

Broccoli.
綠花椰菜。

Cauliflower.
花椰菜。

同種類

Bamboo shoots.
竹筍。

綠花椰菜

花椰菜

竹筍

---

artichoke
〔'ɑrtɪ,tʃok〕*n.*

asparagus
〔ə'spærəgəs〕*n.*

brown rice
〔'braun ,raɪs〕*n.*

字首是 A，A 之後是 B

Artichoke.
朝鮮薊。

Asparagus.
蘆筍。

Brown rice.
糙米。

朝鮮薊

蘆筍

糙米

---

seaweed
〔'si,wid〕*n.*

wood ear
〔'wud ,ɪr〕*n.*

sweet potato leaves

字首是 S

Seaweed.
海帶。

Wood ear.
木耳。

Sweet potato leaves. 地瓜葉。

海帶

木耳

地瓜葉

 **Eat Healthy**

8. Strengthen Your Immune System

增強免疫力【增強身體的抵抗力】

看英文唸出中文	一口氣説九句	看中文唸出英文
crab² 〔 kræb 〕 *n.*	字首是 C 都含有牛奶成份 { *Crab.* 螃蟹。 *Cheese.* 乳酪。 *Yogurt.* 優格。	螃蟹
cheese³ 〔 tʃiz 〕 *n.*		乳酪
yogurt⁴ 〔 'jogɚt 〕 *n.*		優格
shrimp² 〔 ʃrɪmp 〕 *n.*	前兩個字首是 S，三個都是海鮮 { *Shrimp.* 蝦子。 *Squid.* 墨魚。 *Tuna.* 鮪魚。	蝦子
squid 〔 skwɪd 〕 *n.*		墨魚
tuna⁵ 〔 'tunə 〕 *n.*		鮪魚
bell pepper 〔 'bɛl 'pɛpɚ 〕 *n.*	都是蔬菜字首都是 B { *Bell pepper.* 彩椒。 *Bitter squash.* 苦瓜。 *Pine nut.* 松子。	彩椒
bitter squash 〔 'bɪtɚ 'skwɑʃ 〕 *n.*		苦瓜
pine nut 〔 'paɪn 'nʌt 〕 *n.*		松子

【背景説明 7】

　　這一回 Detox Foods（排毒食物）中的 detox〔'dītɑks〕*n.*
排毒，是由 de 和 tox 組成，de 是 away，tox 是 toxin（毒素），
detox（排毒），把毒素排除，有益健
康。如果飲食不當，有壓力、情緒緊
張，排汗、排尿、排便不正常的現象，
會造成便祕、痘瘡、疔、嘴破、口臭、
牙齦腫、眼睛佈滿血絲等，所以要常
吃排毒食物。

　　broccoli（綠花椰菜）和 cauliflower（花椰菜），一個綠一
個白，是同一屬性。bamboo 是「竹子」，shoot 在此作「嫩芽」
解，bamboo shoots「竹子
的嫩芽」，就是「竹筍」。
artichoke 和 asparagus 都
是 a 開頭。brown rice 是
「糙米」。

broccoli　　　cauliflower

　　seaweed 是 sea（海）＋ weed（草），「海中的草」即是「海
帶」。wood 是「木頭」，ear 是「耳朵」，所以 wood ear 就是「木
耳」。potato 是「馬鈴薯」，sweet potato「甜的馬鈴薯」即是「地
瓜」，sweet potato leaves 則是「地瓜葉」。

　　排毒的食物都有去火、利尿的功能，是維持健康的關鍵。
其他排毒的食物還有：韭菜（leek）、燕麥（oat）、青豆（green
beans）、洋蔥（onion）、南瓜（pumpkin）、芹菜（celery）、
鳳梨（pineapple）、大蒜（garlic）、菠菜（spinach）、檸檬

（lemon）、萊姆（lime）等。我們以背單字為主要目的，為了避免重複，影響背誦，而不列出。

你可以跟外國人說：

If you have constipation, you have to eat detox foods.（如果你便祕，你必須吃排毒食物。）

【constipation〔͵kɑnstɪˈpeʃən〕*n.* 便祕】

【背景說明 8】

所謂增強免疫力，也就是增強抵抗力，是身體的保全系統。squid（墨魚）是總稱，包含魷魚、小卷等。「章魚」則是 octopus〔ˈɑktəpəs〕。

squid（墨魚；魷魚）

octopus（章魚）

其他能增強免疫力的食物還有：洋蔥（onion）、香菇（mushroom）、奇異果（kiwi）、木瓜（papaya）、包心菜（cabbage）、芝麻（sesame）、羊肉（lamb）等。選擇增強免疫力的食物，須看自己的體質。如果你是熱性體質，就不能吃羊肉、牛肉，如果是寒性體質，就不能吃奇異果。

你可以跟外國人說：

If you're vulnerable to illness, you should eat the right food to improve your immune system.

（如果你容易生病，你就應該吃正確的食物，來增強你的免疫系統。）

【對話練習】

I have constipation. I'm so embarrassed!

Don't be! Just eat detox foods high in enzymes and fiber that improve digestion.

Sounds like what I need. Can you give me some examples?

Sure. Broccoli, cauliflower, bamboo shoots, artichoke, asparagus, brown rice, seaweed, wood ear, and sweet potato leaves are great for digestion!

Thanks a million.

【中文翻譯】

：我便祕。我覺得很尷尬！

：不要覺得尷尬！只要吃能促進消化，富含酵素和纖維的排毒食物。

：聽起來像是我所需要的。你能給我一些例子嗎？

：當然。綠花椰菜、花椰菜、竹筍、朝鮮薊、蘆筍、糙米、海帶、木耳，和地瓜葉，都對消化很有幫助！

：萬分感謝。

** embarrassed〔ɪmˋbærəst〕*adj.* 尷尬的

be high in 富含；有豐富的⋯ (= *be rich in*)

enzyme〔ˋɛnzaɪm〕*n.* 酵素　　fiber〔ˋfaɪbɚ〕*n.* 纖維

improve〔ɪmˋpruv〕*v.* 改善

digestion〔daɪˋdʒɛstʃən〕*n.* 消化

million〔ˋmɪljən〕*n.* 百萬　　*Thanks a million.* 萬分感謝。

【劉毅老師的話】

　　養成習慣，每天背「英文一字金」，背快以後，變成直覺，終生不忘記。唸經時沒有煩惱。早上起來在公園一面散步、一面背，一舉兩得，晚上會睡得很好。

【對話練習】

I really don't want to catch a cold this winter.

Well, you can try strengthening your immune system.

How?

By eating these foods: crab, cheese, yogurt, shrimp, squid, tuna, bell pepper, bitter squash, and pine nuts.

Why so much seafood?

Shellfish is packed with zinc. That helps our immune cells function.

┌─【中文翻譯】─────────────────┐

：我今年冬天眞的不想感冒。

：嗯，妳可以試著增強妳的免疫系統。

：怎麼做？

：藉由吃這些食物：螃蟹、乳酪、優格、蝦子、墨魚、鮪魚、彩椒、苦瓜，以及松子。

：爲什麼有這麼多海鮮？

：甲殼類含有豐富的鋅。那有助於我們免疫細胞的運作。

└─────────────────────────┘

** ***catch a cold*** 感冒　　strengthen〔ˈstrɛŋθən〕v. 增強
immune〔ɪˈmjun〕adj. 免疫的
bell〔bɛl〕n. 鐘；鐘形之物
pepper〔ˈpɛpɚ〕n. 胡椒；胡椒屬植物
bitter〔ˈbɪtɚ〕adj. 苦的　　squash〔skwɑʃ〕n. 南瓜屬植物
pine〔paɪn〕n. 松樹　　nut〔nʌt〕n. 堅果
seafood〔ˈsiˌfud〕n. 海鮮
shellfish〔ˈʃɛlˌfɪʃ〕n. 甲殼類動物；貝類水產
packed〔pækt〕adj. 充滿⋯的；富含⋯的
zinc〔zɪŋk〕n. 鋅　　cell〔sɛl〕n. 細胞
function〔ˈfʌŋkʃən〕v. 運作；起作用

Eat Healthy

9. Antioxidant Foods
抗氧化食物【防癌＋抗老】

看英文唸出中文	一口氣說九句	看中文唸出英文
blueberry 〔′blu͵bɛrɪ〕*n.*	*Blueberry.* 藍莓。	藍莓
blackberry 〔′blæk͵bɛrɪ〕*n.*	*Blackberry.* 黑莓。	黑莓
cranberry 〔′kræn͵bɛrɪ〕*n.*	*Cranberry.* 蔓越莓。	蔓越莓
raspberry 〔′ræz͵bɛrɪ〕*n.*	*Raspberry.* 覆盆子。	覆盆子
wolfberry 〔′wʊlf͵bɛrɪ〕*n.*	*Wolfberry.* 枸杞。	枸杞
water spinach 〔′watɚ ′spɪnɪdʒ〕*n.*	*Water spinach.* 空心菜。	空心菜
pumpkin² 〔′pʌmpkɪn〕*n.*	←*Pumpkin.* 南瓜。	南瓜
sardine 〔sɑr′din〕*n.*	*Sardine.* 沙丁魚。	沙丁魚
sea cucumber 〔′si ′kjukʌmbɚ〕*n.*	*Sea cucumber.* 海參。	海參

字首是 B

前五個字尾都是 berry

字首是 W

和 spinach 相呼應 字首是 S

【背景説明 9】

antioxidant〔͵æntɪ'ɑksədənt〕中的 anti 是「對抗」，oxidant 是「氧化物」，antioxidant 就是「抗氧化劑」。食物放在外面會壞、鐵放外面會生銹，這就是氧化作用。人體也會氧化，如血管變脆弱、免疫功能衰退、細胞老化、退化性關節炎、皮膚鬆弛等，都是老化現象。所以，抗氧化食物（antioxidant foods）非常重要。

berry 是「漿果」，漿果類的食物都能抗氧化，如：*blueberry*、*blackberry* 字首都是 b，*cranberry* 中的 cran 來自 crane（鶴）。*raspberry* 中的 rasp 是「銼刀」，*wolfberry*（枸杞），一般外國人不知道這個字，對眼睛特別有幫助，wolf 是「狼」。*water spinach* 字面的意思是「水中的菠菜」，即是「空心菜」，空心菜多長在水中。

cucumber

sea cucumber

sea cucumber 字面的意思是「海中的黃瓜」，即是「海參」。

這些食物背起來以後，有助於長生不老，它們是防癌和抗老的食物。其他抗氧化的食物還有：茶（tea）、葡萄（grape）、茄子（eggplant）、包心菜（cabbage）、豬肉（pork）、動物肝臟（animal liver）等。

你可以跟外國人説：

If you don't want to age rapidly, you have to eat antioxidant foods.
（如果你不想老得太快，就必須吃抗氧化食物。）

【對話練習】

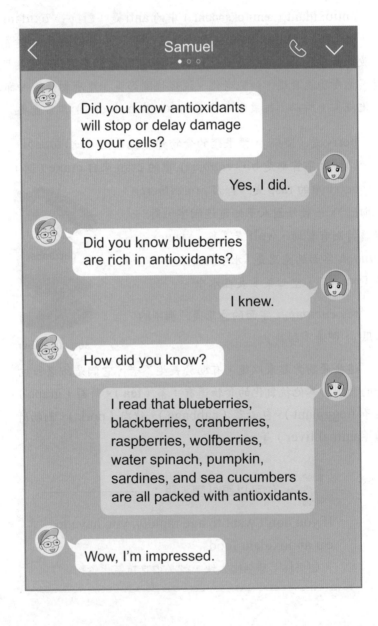

Samuel

Did you know antioxidants will stop or delay damage to your cells?

Yes, I did.

Did you know blueberries are rich in antioxidants?

I knew.

How did you know?

I read that blueberries, blackberries, cranberries, raspberries, wolfberries, water spinach, pumpkin, sardines, and sea cucumbers are all packed with antioxidants.

Wow, I'm impressed.

【中文翻譯】

👩‍🦰：妳知道抗氧化劑能阻止或延緩對細胞的損害嗎？

👩：是的，我知道。

👩‍🦰：妳知道藍莓含有豐富的抗氧化劑嗎？

👩：我知道。

👩‍🦰：妳是如何知道的？

👩：我有讀過藍莓、黑莓、蔓越莓、覆盆子、枸杞、空心菜、南瓜、沙丁魚，以及海參，全都有豐富的抗氧化劑。

👩‍🦰：哇，妳使我印象深刻。

** **delay** 〔dɪˋle〕 *v.* 延緩　　**damage** 〔ˋdæmɪdʒ〕 *n.* 損害

rich 〔rɪtʃ〕 *adj.* 豐富的　　***be rich in*** 有豐富的…

spinach 〔ˋspɪnɪdʒ〕 *n.* 菠菜

cucumber 〔ˋkjukʌmbɚ〕 *n.* 黃瓜

packed 〔pækt〕 *adj.* 充滿…的；富含…的

impress 〔ɪmˋprɛs〕 *v.* 使印象深刻

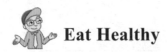 **Eat Healthy**

10. **Boost Metabolism**
促進代謝【吃了精神百倍】

看英文唸出中文	一 口 氣 說 九 句	看中文唸出英文

cod
〔kɑd〕*n.*

corn[1]
〔kɔrn〕*n.*

clam[5]
〔klæm〕*n.*

字首都是 C

Cod.
鱈魚。

Corn.
玉米。

Clam.
蛤蜊。

鱈魚

玉米

蛤蜊

---

ginger[4]
〔'dʒɪndʒɚ〕*n.*

garlic[3]
〔'gɑrlɪk〕*n.*

green tea
〔'grin ˌti〕*n.*

字首都是 G

Ginger.
薑。

Garlic.
大蒜。

Green tea.
綠茶。

薑

大蒜

綠茶

---

potato[2]
〔pə'teto〕*n.*

purple rice
〔'pɝpl̩ ˌraɪs〕*n.*

pumpkin seeds
〔'pʌmpkɪn ˌsidz〕*n. pl.*

字首都是 P

Potato.
馬鈴薯。

Purple rice.
紫米。

Pumpkin seeds.
南瓜子。

馬鈴薯

紫米

南瓜子

【背景説明 10】

metabolism〔mə'tæbḷˌɪzəm〕*n.* 新陳代謝（*the chemical process that takes place in your body that changes food and drink into energy*）「新陳代謝」就是把你吃的和喝的，轉換成能量的一種化學過程。好的食物能夠使新陳代謝運作正常。新陳代謝不好，皮膚長皺紋、疲勞、容易肥胖，嚴重的話，會引起心血管疾病、大腸癌、子宮內膜癌、肝癌等。

Cod.-Corn.-Clam. 字首都是 C，Ginger.-Garlic.- Green tea. 字首都是 G，Potato.-Purple rice.-Pumpkin seeds. 字首都是 P，我們這樣編排，是為了背單字方便。green tea 是「綠茶」，適合熱性體質的人喝，black tea 是「紅茶」，適合寒性體質的人喝。*red tea*（誤）是中式英文，外國人不說。

cod

其他促進新陳代謝的食物還有很多，如：cucumber（黃瓜）、avocado（酪梨）、spinach（菠菜）、broccoli（綠花椰菜）、lettuce（萵苣）、asparagus（蘆筍）、tomato（蕃茄）、watermelon（西瓜）、lemon（檸檬）、apple（蘋果）、coffee（咖啡）、almond（杏仁）、oats（燕麥）等，因為在其他地方有出現，不再重複。新陳代謝好，比較不會胖。

你可以跟外國人説：

If you always feel tired, you have to eat the right food to boost your metabolism.
（如果你總是覺得累，你必須吃正確的食物，促進新陳代謝。）
【boost〔bust〕*v.* 提高】

【對話練習】

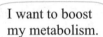

I want to boost my metabolism.

Are you already exercising?

Yes!

Then try these foods: cod, corn, clams, ginger, garlic, green tea, potatoes, purple rice, and pumpkin seeds.

Why?

They help your body burn calories without adding to fat storage.

Incredible!

Yes. A diet rich in these foods can help you lose weight.

─── 【中文翻譯】 ───

😊：我想要促進我的新陳代謝。

🤓：妳已經在運動了嗎？

😊：是的！

🤓：那就試試這些食物：鱈魚、玉米、蛤蜊、薑、大蒜、綠茶、馬鈴薯、紫米，和南瓜子。

😊：爲什麼？

🤓：它們能幫助妳的身體燃燒卡路里，又不會增加脂肪的囤積。

😊：眞是令人難以置信！

🤓：是啊。富含這些食物的飲食可以幫助妳減重。

** purple〔ˈpɝpl̩〕*adj.* 紫色的　　rice〔raɪs〕*n.* 米；飯

pumpkin〔ˈpʌmpkɪn〕*n.* 南瓜　　seed〔sid〕*n.* 種子

burn〔bɝn〕*v.* 燃燒　　calorie〔ˈkælərɪ〕*n.* 卡路里

add to 增加　　fat〔fæt〕*n.* 脂肪

storage〔ˈstorɪdʒ〕*n.* 儲存

incredible〔ɪnˈkrɛdəbl̩〕*adj.* 令人難以置信的

diet〔ˈdaɪət〕*n.* 飲食　　***be rich in*** 富含；有豐富的…

lose〔luz〕*v.* 減輕（體重）　　weight〔wet〕*n.* 體重

Eat Healthy

11. **Alkaline Foods**
鹼性食物【有益健康】

看英文唸出中文	一口氣說九句	看中文唸出英文

carrot²
['kærət] *n.*

cabbage²
['kæbɪdʒ] *n.*

cucumber⁴
['kjukʌmbɚ] *n.*

前五個字首都是 C

Carrot.
胡蘿蔔。

Cabbage.
包心菜。

Cucumber.
黃瓜。

胡蘿蔔

包心菜

黃瓜

---

chili⁵
['tʃɪlɪ] *n.*

celery⁵
['sɛlərɪ] *n.*

okra
['okrə] *n.*

O 之後是 L

Chili.
紅番椒。

Celery.
芹菜。

Okra.
秋葵。

紅番椒

芹菜

秋葵

---

lettuce²
['lɛtɪs] *n.*

loofah
['lufə] *n.*

lotus root
['lotəs ˌrut] *n.*

字首都是 L

Lettuce.
萵苣。

Loofah.
絲瓜。

Lotus root.
蓮藕。

萵苣

絲瓜

蓮藕

【背景説明 11】

辨別一個人是否有得癌症，最簡單的方法，就是檢查身體是鹼性還是酸性，鹼性表示健康。多吃鹼性食物有助於尿酸排泄，預防腎結石。鹼性食物大多是蔬菜類、水果類，和海藻類。

Carrot.-Cabbage.-Cucumber. 字首都是 C。Chili.-Celery.-Okra. 前兩個是 C 開頭。Lettuce.-Loofah.- Lotus root. 字首都是 L。cabbage 可翻成「包心菜；高麗菜；甘藍菜；洋白菜」。

cabbage

loofah（絲瓜）外國人不吃，他們只會曬乾後，擦背用。lotus root（蓮藕）中的 lotus 是「蓮花」，root 是「根」，蓮花的根，就是「蓮藕」。老外不吃，可以潤腸通便、安神、寧心、去痰、止咳、抗衰、防癌等，但是寒性體質的人不適合吃。

loofah

 你可以跟外國人説：

If you want to live longer, you had better eat alkaline foods.

（如果你想活得久，就要吃鹼性食物。）

【alkaline〔'ælkə,laın〕*adj.* 鹼性的】

【對話練習】

Did you know that certain foods can make our blood acidic?

No, that sounds terrible.

It is. That's why we should eat more alkaline foods.

What are they?

Fruits and vegetables high in fiber, for example, carrots, cabbage, cucumber, chili, celery, okra, lettuce, loofah, and lotus roots.

Makes sense.

──【中文翻譯】──

🧑‍🦰：妳知道某些食物可能會使我們的血液變酸性嗎？

🙆‍♀️：不，那聽起來很可怕。

🧑‍🦰：的確是。那就是為什麼我們應該多吃鹼性食物的原因。

🙆‍♀️：什麼是鹼性食物？

🧑‍🦰：富含纖維的水果和蔬菜，例如，胡蘿蔔、包心菜、黃瓜、紅番椒、芹菜、秋葵、萵苣、絲瓜，和蓮藕。

🙆‍♀️：有道理。

** certain〔ˈsɝtn̩〕*adj.* 某些　　blood〔blʌd〕*n.* 血液

acidic〔əˈsɪdɪk〕*adj.* 酸性的

be high in 富含；有豐富的…　　fiber〔ˈfaɪbɚ〕*n.* 纖維

lotus〔ˈlotəs〕*n.* 蓮花　　root〔rut〕*n.* 根

make sense 合理；有道理

Makes sense. 是由 It makes sense. 簡化而來。

Eat Healthy

12. Acidic Foods
酸性食物【有害健康】

看英文唸出中文	一口氣說九句	看中文唸出英文
cake[1] 〔kek〕n.	字首都是C {	*Cake.* 蛋糕。	蛋糕
chip[3] 〔tʃɪp〕n.		*Chips.* 洋芋片。	洋芋片
chocolate bar 〔'tʃɔkəlɪt ˌbɑr〕n.		*Chocolate bars.* 巧克力棒。	巧克力棒
bread[1] 〔brɛd〕n.	字首是B {	*Bread.* 麵包。	麵包
burger[2] 〔'bɝgɚ〕n.		*Burgers.* 漢堡。	漢堡
canned soup 〔'kænd ˌsup〕n.	喝湯吃麵	*Canned soup.* 罐頭湯。	罐頭湯
pasta[4] 〔'pæstə〕n.	字首是P {	*Pasta.* 義大利麵。	義大利麵
peanut butter 〔'piˌnʌt 'bʌtɚ〕n.		*Peanut butter.* 花生醬。	花生醬
processed food 〔'prɑsɛst ˌfud〕n.		All *processed foods.* 所有的加工食品。	加工食品

【背景説明 12】

> 　　經過加工的食物（processed foods）都是酸性，酸性最強的是加工的黃豆（processed soybeans）、鹹和甜的花生醬（salted & sweetened peanut butter）、水果乾（dried fruit）、黑胡椒（black pepper）、味精（MSG）、醬油（soy sauce）、含酒精飲料（alcoholic drinks）、清涼飲料（soft drinks）等。

　　Cake.-Chips.-Chocolate bars. 字首都是 **C**，Bread.-Burgers.-Canned soup. 前兩個字是 **B** 開頭，第三個是 **C** 開頭。Pasta.-Peanut butter.-All processed foods.，前兩個字首是 **P**，兩短一長較好背。

你可以跟外國人説：

If you don't want to get sick easily, you have to avoid acidic foods. All processed foods are acidic.
（如果你不想要很容易生病，就必須避免吃酸性食物。所有的加工食品都是酸性的。）

【acidic〔əˈsɪdɪk〕*adj.* 酸性的】

　　我背完「養生救命經」後，最大的收穫，就是身體變好了。我選擇不吃寒性、有毒的，和酸性食物。希望大家都一起背，並且把這個福音傳出去。

【對話練習】

What are acidic foods?

They include cakes, chips, chocolate bars, bread, burgers, canned soup, pasta, peanut butter, and processed foods.

What's wrong with acidic foods?

Your blood should have a 7.4pH. These foods raise acidity, and that can lead to early heart disease, cancer, or diabetes.

Oh, my gosh!

You better avoid processed foods.

┌─── 【中文翻譯】 ─────────────────────┐

：什麼是酸性食物？

：酸性食物包括蛋糕、洋芋片、巧克力棒、麵包、漢
堡、罐頭湯、義大利麵、花生醬，以及加工食品。

：酸性食物有什麼問題？

：妳的血液的酸鹼值應該是 7.4。這些食物會增加酸性，
那可能會導致提早罹患心臟病、癌症，或是糖尿病。

：喔，我的天啊！

：妳最好避免吃加工食品。

└──────────────────────────────────┘

** include〔ɪn'klud〕v. 包括　　bar〔bɑr〕n. 棒狀之物

can〔kæn〕v. 把…裝罐　　peanut〔'pi,nʌt〕n. 花生

process〔'prɑsɛs〕v. 加工；處理

wrong〔rɔŋ〕adj. 不對勁的　　*pH* 酸鹼值

raise〔rez〕v. 提高；增加

acidity〔ə'sɪdətɪ〕n. 酸性　　*lead to* 導致

diabetes〔,daɪə'bitɪz〕n. 糖尿病

My gosh! 我的天啊！（= *My God!*）

You better… 你最好…（= *You had better*…）

avoid〔ə'vɔɪd〕v. 避免

自我測驗 7～12

※ 請看下面中文，唸出英文來，你會唸得很痛快。

7. □ 綠花椰菜 ＿＿＿＿＿＿
   □ 花椰菜 ＿＿＿＿＿＿
   □ 竹筍 ＿＿＿＿＿＿

   □ 朝鮮薊 ＿＿＿＿＿＿
   □ 蘆筍 ＿＿＿＿＿＿
   □ 糙米 ＿＿＿＿＿＿

   □ 海帶 ＿＿＿＿＿＿
   □ 木耳 ＿＿＿＿＿＿
   □ 地瓜葉 ＿＿＿＿＿＿

8. □ 螃蟹 ＿＿＿＿＿＿
   □ 乳酪 ＿＿＿＿＿＿
   □ 優格 ＿＿＿＿＿＿

   □ 蝦子 ＿＿＿＿＿＿
   □ 墨魚 ＿＿＿＿＿＿
   □ 鮪魚 ＿＿＿＿＿＿

   □ 彩椒 ＿＿＿＿＿＿
   □ 苦瓜 ＿＿＿＿＿＿
   □ 松子 ＿＿＿＿＿＿

9. □ 藍莓 ＿＿＿＿＿＿
   □ 黑莓 ＿＿＿＿＿＿
   □ 蔓越莓 ＿＿＿＿＿＿

   □ 覆盆子 ＿＿＿＿＿＿
   □ 枸杞 ＿＿＿＿＿＿
   □ 空心菜 ＿＿＿＿＿＿

   □ 南瓜 ＿＿＿＿＿＿
   □ 沙丁魚 ＿＿＿＿＿＿
   □ 海參 ＿＿＿＿＿＿

10. □ 鱈魚 ＿＿＿＿＿＿
    □ 玉米 ＿＿＿＿＿＿
    □ 蛤蜊 ＿＿＿＿＿＿

    □ 薑 ＿＿＿＿＿＿
    □ 大蒜 ＿＿＿＿＿＿
    □ 綠茶 ＿＿＿＿＿＿

    □ 馬鈴薯 ＿＿＿＿＿＿
    □ 紫米 ＿＿＿＿＿＿
    □ 南瓜子 ＿＿＿＿＿＿

11. □ 胡蘿蔔 ＿＿＿＿＿＿
    □ 包心菜 ＿＿＿＿＿＿
    □ 黃瓜 ＿＿＿＿＿＿

    □ 紅番椒 ＿＿＿＿＿＿
    □ 芹菜 ＿＿＿＿＿＿
    □ 秋葵 ＿＿＿＿＿＿

    □ 萵苣 ＿＿＿＿＿＿
    □ 絲瓜 ＿＿＿＿＿＿
    □ 蓮藕 ＿＿＿＿＿＿

12. □ 蛋糕 ＿＿＿＿＿＿
    □ 洋芋片 ＿＿＿＿＿＿
    □ 巧克力棒 ＿＿＿＿＿＿

    □ 麵包 ＿＿＿＿＿＿
    □ 漢堡 ＿＿＿＿＿＿
    □ 罐頭湯 ＿＿＿＿＿＿

    □ 義大利麵 ＿＿＿＿＿＿
    □ 花生醬 ＿＿＿＿＿＿
    □ 加工食品 ＿＿＿＿＿＿

※ 請看下面英文，唸出中文來，還有哪個字你不認識嗎 ?!

7. ☐ broccoli _____
   ☐ cauliflower _____
   ☐ bamboo shoots _____
   ☐ artichoke _____
   ☐ asparagus _____
   ☐ brown rice _____
   ☐ seaweed _____
   ☐ wood ear _____
   ☐ sweet potato leaves _____

8. ☐ crab _____
   ☐ cheese _____
   ☐ yogurt _____
   ☐ shrimp _____
   ☐ squid _____
   ☐ tuna _____
   ☐ bell pepper _____
   ☐ bitter squash _____
   ☐ pine nut _____

9. ☐ blueberry _____
   ☐ blackberry _____
   ☐ cranberry _____
   ☐ raspberry _____
   ☐ wolfberry _____
   ☐ water spinach _____
   ☐ pumpkin _____
   ☐ sardine _____
   ☐ sea cucumber _____

10. ☐ cod _____
    ☐ corn _____
    ☐ clam _____
    ☐ ginger _____
    ☐ garlic _____
    ☐ green tea _____
    ☐ potato _____
    ☐ purple rice _____
    ☐ pumpkin seeds _____

11. ☐ carrot _____
    ☐ cabbage _____
    ☐ cucumber _____
    ☐ chili _____
    ☐ celery _____
    ☐ okra _____
    ☐ lettuce _____
    ☐ loofah _____
    ☐ lotus root _____

12. ☐ cake _____
    ☐ chip _____
    ☐ chocolate bar _____
    ☐ bread _____
    ☐ burger _____
    ☐ canned soup _____
    ☐ pasta _____
    ☐ peanut butter _____
    ☐ processed food _____

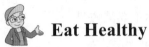 **Eat Healthy**

13. **High-Cholesterol Foods (1)**
高膽固醇食物

看英文唸出中文	一口氣說九句	看中文唸出英文
egg yolk 〔'ɛg 'jok 〕 *n.*	*Egg yolk.* 蛋黃。	蛋黃
salted egg 〔'sɔltɪd ˌɛg 〕 *n.*	*Salted egg.* 鹹蛋。	鹹蛋
preserved egg 〔 prɪ'zɝvd ˌɛg 〕 *n.*	*Preserved egg.* 皮蛋。	皮蛋
seafood 〔'siˌfud 〕 *n.*	*Seafood.* 海鮮。	海鮮
sausage³ 〔'sɔsɪdʒ 〕 *n.*	*Sausage.* 香腸。	香腸
dried fish 〔'draɪd ˌfɪʃ 〕 *n.*	*Dried fish.* 小魚乾。	小魚乾
pigskin 〔'pɪgˌskɪn 〕 *n.*	*Pigskin.* 豬皮。	豬皮
chicken skin 〔'tʃɪkɪn ˌskɪn 〕 *n.*	*Chicken skin.* 雞皮。	雞皮
pigs' feet 〔'pɪgs ˌfit 〕 *n. pl.*	*Pigs' feet.* 豬腳。	豬腳

都有 egg

字首是 S

都有 skin

【背景說明 13】

「蛋黃」是 *egg yolk*，「蛋白」是 egg white。如果在飯店餐廳，你怕中風的話，你就可以說：I want scrambled egg white.（我要蛋白的炒蛋。）我們中國人說「鹹鴨蛋」，美國人說：*salted egg*（鹹蛋），不

scrambled egg white

說 *salted duck egg*（誤）。「皮蛋」除了叫 *preserved egg*，其他的說法還有：century egg，thousand-year egg，thousand-year-old egg。

「小魚乾」英文是 *dried fish*（= *small dried fish*），因為外國人很少看到大的魚乾，如果大一點的魚，也稱作 dried fish（= *big dried fish*）。

preserve 大家背不下來，容易和 reserve（預訂）混淆。

pre¦serve，保持在以前的狀態，就是「保護；維護；保養；保留；
before¦keep
保持；保鮮；防腐」，當名詞是「（動植物）保留區；蜜餞；果醬」。
preserved 的意思是「保護好的；保養好的；保存好的；保留好的」。
preserved egg 字面的意思是「保存的蛋」，即是「皮蛋」。

> ***Preserve*** our natural resources.（要保護我們的天然資源。）
> ***Preserve*** your energy.（要保存你的體力。）
> ***Preserve*** your wealth.（要保護你的財富。）【preserve = protect】

re¦serve　保留到以後再來用，意思是「儲藏；儲存；保留；預
back¦keep
留；預訂（房間或座位）；保留（意見）；延後做出（決定或判斷）」。

> ***Reserve*** a table at a restaurant.（要在餐廳裡預訂一桌。）
> ***Reserve*** some time for leisure.
> （要保留一些時間從事休閒活動。）
> ***Reserve*** some money for emergencies.
> （要保留一些錢，以備不時之需。）【reserve = set aside】

Eat Healthy

14. **High-Cholesterol Foods (2)**
高膽固醇食物

看英文唸出中文	一口氣說九句	看中文唸出英文
cream² 〔krim〕 *n.*	*Cream.* 奶油。	奶油
cured meat 〔'kjʊrd ,mit〕 *n.*	*Cured meat.* 臘肉。	臘肉
cod liver oil 〔'kɑd 'lɪvɚ ,ɔɪl〕 *n.*	*Cod liver oil.* 魚肝油。	魚肝油

字首都是 C

pastry⁵ 〔'pestrɪ〕 *n.*	*Pastry.* 糕餅。	糕餅
mayonnaise⁵ 〔,meə'nez〕 *n.*	*Mayonnaise.* 美乃滋。	美乃滋
pork floss 〔'pɔrk ,flɔs〕 *n.*	*Pork floss.* 肉鬆。	肉鬆

字首是 P

egg dumpling 〔'ɛg 'dʌmplɪŋ〕 *n.*	*Egg dumpling.* 蛋餃。	蛋餃
rice dumpling 〔'raɪs 'dʌmplɪŋ〕 *n.*	*Rice dumpling.* 粽子。	粽子
fried chicken steak 〔'fraɪd 'tʃɪkɪn ,stek〕 *n.*	*Fried chicken steak.* 炸雞排。	炸雞排

都有 dumpling

【背景説明 14】

　　cured meat（臘肉）中的 cure，不是作「治療」解，而是作「(醃、燻、曬、烤等方法進行的) 加工處理」解。*cod liver oil*（魚肝油）是用 cod（鱈魚）的肝（liver）製成。

cod

　　pastry 是「糕餅」的總稱，包含 cakes（蛋糕）、tarts（塔；水果餡餅）、cookies（餅乾）、pies（派）等。*mayonnaise*〔ˌmeəˈnez〕*n.* 美乃滋，超過 5 個字母

floss

就難背了，按照音節分開來，may-on-naise，較容易背。mayonnaise 源自西班牙的古城 Mayon，美乃滋是由生雞蛋蛋黃和沙拉油製成。*pork floss*（肉鬆）中的 floss，主要的意思是「牙線」（dental floss），因為牙線很細，很像肉鬆。

　　egg dumpling 是「蛋餃」，是火鍋料的一種，火鍋料大多是加工食品。凡是裡面有包餡，丟到水裡煮的或用蒸的，都叫 dumpling，如 *rice dumpling*「粽子」(= *sticky rice dumpling*)、sticky rice flour balls 是「湯圓」，soup dumpling（小籠包）、Chinese dumpling（餃子）、disk-shaped dumpling（肉圓）。*fried chicken steak*（炸雞排）中的 steak，可指「雞排」、「魚排」、「牛排」，注意 steak〔stek〕的發音很特殊，是少數 ea 唸 /e/ 的字，其他還有 gr<u>ea</u>t（很棒的）、br<u>ea</u>k（打破）等。

sticky rice flour balls

Chinese dumpling

disk-shaped dumpling

【對話練習】

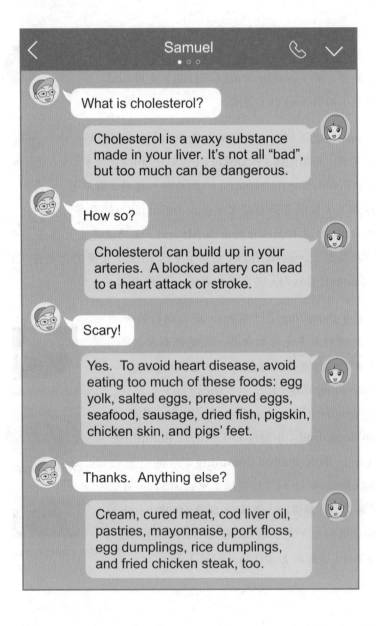

Samuel

What is cholesterol?

Cholesterol is a waxy substance made in your liver. It's not all "bad", but too much can be dangerous.

How so?

Cholesterol can build up in your arteries. A blocked artery can lead to a heart attack or stroke.

Scary!

Yes. To avoid heart disease, avoid eating too much of these foods: egg yolk, salted eggs, preserved eggs, seafood, sausage, dried fish, pigskin, chicken skin, and pigs' feet.

Thanks. Anything else?

Cream, cured meat, cod liver oil, pastries, mayonnaise, pork floss, egg dumplings, rice dumplings, and fried chicken steak, too.

【中文翻譯】

：什麼是膽固醇？

：膽固醇是在肝臟製造的一種似蠟的物質。它不完全是「不好的」，但太多可能會危險。

：怎麼會這樣？

：膽固醇可能會在血管中堆積。堵塞的血管可能會導致心臟病發作或中風。

：真可怕！

：是的。要避免心臟病，不要吃太多這些食物：蛋黃、鹹蛋、皮蛋、海鮮、香腸、小魚乾、豬皮、雞皮，和豬腳。

：謝謝。還有別的嗎？

：奶油、臘肉、魚肝油、糕餅、美乃滋、肉鬆、蛋餃、粽子，還有炸雞排。

** cholesterol〔kəˋlɛstəˏrol〕n. 膽固醇
waxy〔ˋwæksɪ〕adj. 蠟狀的（= waxen）
substance〔ˋsʌbstəns〕n. 物質　　liver〔ˋlɪvɚ〕n. 肝臟
build up 累積　　artery〔ˋɑrtərɪ〕n. 動脈
blocked〔blɑkt〕adj. 阻塞的　　**heart attack** 心臟病發作
stroke〔strok〕n. 中風　　scary〔ˋskɛrɪ〕adj. 可怕的
salted〔ˋsɔltɪd〕adj. 有鹹味的
preserve〔prɪˋzɝv〕v. 保存；鹽醃；糖漬
dried〔draɪd〕adj. 乾燥的

Eat Healthy

15. Diet for Stroke Prevention
預防中風的食物

看英文唸出中文	一口氣說九句	看中文唸出英文	
mushroom[3] 〔'mʌʃ,rum〕n.	*Mushroom.* 蘑菇。	蘑菇	
mung bean 〔'mʌŋ ,bin〕n.	*Mung bean.* 綠豆。	綠豆	
milkfish 〔'mɪlk,fɪʃ〕n.	*Milkfish.* 虱目魚。	虱目魚	
black bean 〔'blæk ,bin〕n.	*Black bean.* 黑豆。	黑豆	
black fungus 〔'blæk 'fʌŋgəs〕n.	*Black fungus.* 黑木耳。	黑木耳	
eggplant 〔'ɛg,plænt〕n.	*Eggplant.* 茄子。	茄子	
oatmeal[5] 〔'ot,mil〕n.	*Oatmeal.* 燕麥片。	燕麥片	
olive oil 〔'alɪv ,ɔɪl〕n.	*Olive oil.* 橄欖油。	橄欖油	
propolis 〔'prapəlɪs〕n.	*Propolis.* 蜂膠。	蜂膠	

字首都是 M　字首是 Mu

都有 Black

字首是 O　都有兩個 o

 **Eat Healthy**

16. **Flatulent Foods (1)**
易脹氣食物

看英文唸出中文	一口氣說九句	看中文唸出英文

coffee[1]
〔ˈkɔfɪ 〕*n.*

cola[1]
〔ˈkolə 〕*n.*

chestnut[5]
〔ˈtʃɛst͵nʌt 〕*n.*

字首都是 C

Coffee.
咖啡。

Cola.
可樂。

Chestnut.
栗子。

字首是 Co

咖啡

可樂

栗子

---

cashew
〔ˈkæʃu 〕*n.*

chewing gum
〔ˈtʃuɪŋ ͵gʌm 〕*n.*

chicken nugget
〔ˈtʃɪkɪn ˈnʌgɪt 〕*n.*

字首都是 C

Cashew.
腰果。

Chewing gum.
口香糖。

Chicken nuggets. 雞塊。

字首是 Ch

腰果

口香糖

雞塊

---

beer[2]
〔 bɪr 〕*n.*

beverage[6]
〔ˈbɛvərɪdʒ 〕*n.*

broad bean
〔ˈbrɔd ͵bin 〕*n.*

字首都是 B

Beer.
啤酒。

Beverage.
飲料。

Broad bean.
蠶豆。

字首是 Be

啤酒

飲料

蠶豆

Eat Healthy

17. **Flatulent Foods (2)**
易脹氣食物

看英文唸出中文	一口氣説九句	看中文唸出英文

pea³
〔 pi 〕*n.*

pecan
〔 pɪ'kɑn 〕*n.*

pistachio
〔 pɪs'taʃɪ,o 〕*n.*

字首都是 P

Pea.
碗豆。

Pecan.
美洲山核桃。

Pistachio.
開心果。

字首是 Pe

碗豆

美洲
山核桃

開心果

---

pepper
〔'pɛpɚ 〕*n.*

pig's blood cake
〔'pɪgz 'blʌd ,kek 〕*n.*

scallion pancake
〔'skæljən 'pæn,kek 〕*n.*

字首是 P

Pepper.
青椒。

*Pig's blood
cake.* 豬血糕。

Scallion pancake.
蔥油餅。

都有 cake

胡椒；
青椒

豬血糕

蔥油餅

---

donut²
〔'donət 〕*n.*

walnut⁴
〔'wɔlnət 〕*n.*

macadamia
〔,mækə'demɪə 〕*n.*

字尾是 nut

Donut.
甜甜圈。

Walnut.
核桃。

Macadamia.
夏威夷豆。

甜甜圈
(= *doughnut*)

核桃

夏威夷豆

* pepper 的意思有：①胡椒粉②青椒 (= *green pepper*) ③辣椒。

【背景説明 15】

Mushroom.-Mung bean.-Milkfish. 三個都是 **M** 開頭，前兩個是 **Mu** 開頭。*mushroom* 中的 mush 是「軟稠物；爛糊狀物」。*mung bean*（綠豆）中的 mung，不能單獨使用，而 green bean 是「四季豆」，不是「綠豆」。

mung bean

green bean

milkfish（虱目魚），不可寫成：*milk fish*（誤），milk（牛奶）是白色的，和虱目魚的顏色相同，所以取名為 milkfish。虱目魚是低膽固醇、低熱量、低脂、高蛋白質、高鈣，好處很多。*black fungus*（黑木耳），fungus〔ˈfʌŋɡəs〕*n.* 眞菌；眞菌類植物（*a type of plant without leaves or flowers*）。*eggplant*（茄子）是 egg（蛋）＋plant（植物），茄子的頭有點像雞蛋。*oatmeal* 是由 oat（燕麥）＋meal（一餐）。

【背景説明 16】

我 30 幾歲時，有一次突然肚子痛，到醫院掛急診，醫生給我打止痛針，吊點滴，通通都沒用，痛到生不如死。後來，經人介紹一位名醫，他摸摸肚子，照了 X 光，給我一顆藥丸，放了一個屁，上了大號就好了。

脹氣是胃、腸道疾病的一種症狀，嚴重時，會引發食道癌，肺呼吸功能受到限制，可能引起呼吸困難。體內毒素沒有排出，被身體吸收，非常可怕。首先，我們要避免吃刺激性或難以消化的食物，像 *coffee*（咖啡）、*cola*（可樂）、*chestnut*（栗子）等。這些東西背到變成直覺，無形中會增進你的健康。

【對話練習】

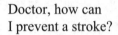

Doctor, how can I prevent a stroke?

Consider changing your diet. Try eating healthier.

What should I eat?

Mushrooms, mung beans, milkfish, black beans, black fungus, eggplant, olive oil, and propolis. Also, try eating oatmeal for breakfast.

Wow, let me write that down.

────── 【中文翻譯】 ──────

: 醫生，我要如何預防中風？

: 要考慮改變你的飲食。試著吃健康一點。

: 我應該吃什麼？

: 蘑菇、綠豆、虱目魚、黑豆、黑木耳、茄子、橄欖油，和蜂膠。而且，要嘗試吃燕麥片當作早餐。

: 哇，讓我寫下來。

** prevent〔prɪˋvɛnt〕v. 預防　　stroke〔strok〕n. 中風
consider〔kənˋsɪdɚ〕v. 考慮
diet〔ˋdaɪət〕n. 飲食　　healthy〔ˋhɛlθɪ〕adj. 健康的
bean〔bin〕n. 豆子　　olive〔ˋɑlɪv〕n. 橄欖
wow〔waʊ〕interj. 哇

──── 【劉毅老師的話】 ────

　　是藥三分毒，這是中醫的說法。西醫的話，藥幾乎就是毒藥。每天吃適合自己身體的食物，可預防疾病的來到。

【對話練習】

 : What in the world are flatulent foods?

 : Those are foods that give you gas.

 : What do you mean?

 : Some foods, like coffee, cola, chestnuts, cashews, chewing gum, chicken nuggets, beer, broad beans, and certain beverages, are hard for your body to break down. If it's not turned to energy or waste, gas is leftover.

 : Wow, I had no idea. Is that why I burp after meals?

 : That's right. Other foods that may give you too much gas are peas, pecans, pistachios, pepper, pig's blood cake, scallion pancakes, donuts, walnuts, and macadamia nuts.

 : But I love nuts!

 : Don't worry. These foods affect everyone differently. Maybe they won't bother you.

 : That's a relief.

 : Yes, but if they do, just eat less of them.

【中文翻譯】

：究竟什麼是易脹氣食物？

：會讓你產生氣體的食物。

：這是什麼意思？

：有些食物，像是咖啡、可樂、栗子、腰果、口香糖、雞塊、啤酒、蠶豆，和某些飲料，你的身體很難分解。如果它們沒被轉換成能量或廢棄物，就會留下氣體。

：哇，我不知道。那就是餐後我會打嗝的原因嗎？

：沒錯。其他也可能會讓你產生太多的氣體的食物是豌豆、美洲山核桃、開心果、青椒、豬血糕、蔥油餅、甜甜圈、核桃，以及夏威夷豆。

：但是我很喜愛堅果！

：別擔心。這些食物對每個人的影響都不同。也許它們不會困擾你。

：那我就放心了。

：是的，但如果它們會造成困擾，就要少吃一點。

** ***in the world*** 究竟 (= *on earth*)

flatulent〔'flætʃələnt〕*adj.* 容易引起胃腸氣脹的

gas〔gæs〕*n.* 氣體

nugget〔'nʌgɪt〕*n.* 礦塊;(雞)塊

certain〔'sɝtn̩〕*adj.* 某些　　***break down*** 分解

turn〔tɝn〕*v.* 使轉變　　energy〔'ɛnədʒɪ〕*n.* 能量

waste〔west〕*n.* 廢物;廢棄物

leftover〔'lɛft,ovɚ〕*adj.* 殘餘的;剩下的　*n.* 殘餘物

have no idea 不知道　　burp〔bɝp〕*v.* 打嗝

meal〔mil〕*n.* 一餐　　scallion〔'skæljən〕*n.* 青蔥

pancake〔'pæn,kek〕*n.* 薄煎餅　　nut〔nʌt〕*n.* 堅果

affect〔ə'fɛkt〕*v.* 影響　　bother〔'bɑðɚ〕*v.* 困擾

relief〔rɪ'lif〕*n.* 放心;鬆了一口氣

【劉毅老師的話】

　　規律的生活加上運動和正確的飲食,可
預防疾病。感冒是萬病之源,覺得快要感冒
時,就要做危機處理。喝大量的溫開水,加
上一杯黑咖啡,可把毒素排出。睡在床上很
難過,不如去按摩、拔罐,或刮痧,千萬不
能讓它發作。

Eat Healthy

18. Deflatulent Foods
消脹氣食物

看英文唸出中文	一口氣 説 九 句	看中文唸出英文
honey water （'hʌnɪ ˌwɔtɚ ）n.	*Honey water.* 蜂蜜水。	蜂蜜水
coconut water （'kokənət 'wɔtɚ）n.	*Coconut water.* 椰子水。	椰子水
coconut flesh （'kokənət ˌflɛʃ ）n.	*Coconut flesh.* 椰子肉。	椰子肉

（都有 Coconut）（都有 water）

black tea （'blæk ˌti ）n.	*Black tea.* 紅茶。	紅茶
Oolong tea （'ulɔŋ ˌti ）n.	*Oolong tea.* 烏龍茶。	烏龍茶
Pu-erh tea （'puɝ ˌti ）n.	*Pu-erh tea.* 普洱茶。	普洱茶

（都有 tea）

kimchi （'kɪmtʃi ）n.	*Kimchi.* 韓式泡菜。	韓式泡菜
kumquat （'kʌmˌkwɑt ）n.	*Kumquat.* 金桔。	金桔
lemonade² （ˌlɛmən'ed ）n.	*Lemonade.* 檸檬水。	檸檬水

（字首是 K）

【對話練習】

> What can I eat to get my gas under control?

> Drink these deflatulent drinks instead of coffee and cola: honey water, coconut water, black tea, Oolong tea, Pu-erh tea, and lemonade.

> I see.

> As for foods, try coconut flesh, kimchi, and kumquats.

> Thank you so much!

【中文翻譯】

🙂：我要吃什麼才能控制我體內的氣體？

😎：要喝以下的消脹氣飲料，而不是咖啡和可樂：蜂蜜水、椰子水、紅茶、烏龍茶、普洱茶，和檸檬水。

🙂：我知道了。

😎：至於食物，可以嘗試椰子肉、韓式泡菜，和金桔。

😆：非常感謝你！

** *under control* 在控制中

deflatulent〔dɪˈflætʃələnt〕adj. 消脹氣的

drink〔drɪŋk〕v. 喝　n. 飲料

instead of 而不是　　honey〔ˈhʌnɪ〕n. 蜂蜜

coconut〔ˈkokənət〕n. 椰子

as for 至於　　flesh〔flɛʃ〕n.（果）肉

【劉毅老師的話】

　　金桔（*kumquat*）不僅可以治脹氣，還可以治咳嗽，效果奇佳。金桔有酸的和甜的，台灣的大多是酸的，日本和大陸的金桔是甜的。吃了之後，皮膚還會變好。

自我測驗 13～18

※ 請看下面中文，唸出英文來，你會唸得很痛快。

13. ☐ 蛋黃 ＿＿＿＿＿＿
    ☐ 鹹蛋 ＿＿＿＿＿＿
    ☐ 皮蛋 ＿＿＿＿＿＿

    ☐ 海鮮 ＿＿＿＿＿＿
    ☐ 香腸 ＿＿＿＿＿＿
    ☐ 小魚乾 ＿＿＿＿＿

    ☐ 豬皮 ＿＿＿＿＿＿
    ☐ 雞皮 ＿＿＿＿＿＿
    ☐ 豬腳 ＿＿＿＿＿＿

14. ☐ 奶油 ＿＿＿＿＿＿
    ☐ 臘肉 ＿＿＿＿＿＿
    ☐ 魚肝油 ＿＿＿＿＿

    ☐ 糕餅 ＿＿＿＿＿＿
    ☐ 美乃滋 ＿＿＿＿＿
    ☐ 肉鬆 ＿＿＿＿＿＿

    ☐ 蛋餃 ＿＿＿＿＿＿
    ☐ 粽子 ＿＿＿＿＿＿
    ☐ 炸雞排 ＿＿＿＿＿

15. ☐ 蘑菇 ＿＿＿＿＿＿
    ☐ 綠豆 ＿＿＿＿＿＿
    ☐ 虱目魚 ＿＿＿＿＿

    ☐ 黑豆 ＿＿＿＿＿＿
    ☐ 黑木耳 ＿＿＿＿＿
    ☐ 茄子 ＿＿＿＿＿＿

    ☐ 燕麥片 ＿＿＿＿＿
    ☐ 橄欖油 ＿＿＿＿＿
    ☐ 蜂膠 ＿＿＿＿＿＿

16. ☐ 咖啡 ＿＿＿＿＿＿
    ☐ 可樂 ＿＿＿＿＿＿
    ☐ 栗子 ＿＿＿＿＿＿

    ☐ 腰果 ＿＿＿＿＿＿
    ☐ 口香糖 ＿＿＿＿＿
    ☐ 雞塊 ＿＿＿＿＿＿

    ☐ 啤酒 ＿＿＿＿＿＿
    ☐ 飲料 ＿＿＿＿＿＿
    ☐ 蠶豆 ＿＿＿＿＿＿

17. ☐ 碗豆 ＿＿＿＿＿＿
    ☐ 美洲山核桃 ＿＿＿
    ☐ 開心果 ＿＿＿＿＿

    ☐ 胡椒；青椒 ＿＿＿
    ☐ 豬血糕 ＿＿＿＿＿
    ☐ 蔥油餅 ＿＿＿＿＿

    ☐ 甜甜圈 ＿＿＿＿＿
    ☐ 核桃 ＿＿＿＿＿＿
    ☐ 夏威夷豆 ＿＿＿＿

18. ☐ 蜂蜜水 ＿＿＿＿＿
    ☐ 椰子水 ＿＿＿＿＿
    ☐ 椰子肉 ＿＿＿＿＿

    ☐ 紅茶 ＿＿＿＿＿＿
    ☐ 烏龍茶 ＿＿＿＿＿
    ☐ 普洱茶 ＿＿＿＿＿

    ☐ 韓式泡菜 ＿＿＿＿
    ☐ 金桔 ＿＿＿＿＿＿
    ☐ 檸檬水 ＿＿＿＿＿

※ 請看下面英文，唸出中文來，還有哪個字你不認識嗎 ?!

13. ☐ egg yolk ＿＿＿＿＿＿
　　☐ salted egg ＿＿＿＿＿
　　☐ preserved egg ＿＿＿＿

　　☐ seafood ＿＿＿＿＿＿
　　☐ sausage ＿＿＿＿＿＿
　　☐ dried fish ＿＿＿＿＿

　　☐ pigskin ＿＿＿＿＿＿
　　☐ chicken skin ＿＿＿＿
　　☐ pigs' feet ＿＿＿＿＿

14. ☐ cream ＿＿＿＿＿＿＿
　　☐ cured meat ＿＿＿＿＿
　　☐ cod liver oil ＿＿＿＿

　　☐ pastry ＿＿＿＿＿＿＿
　　☐ mayonnaise ＿＿＿＿＿
　　☐ pork floss ＿＿＿＿＿

　　☐ egg dumpling ＿＿＿＿
　　☐ rice dumpling ＿＿＿＿
　　☐ fried chicken steak ＿＿

15. ☐ mushroom ＿＿＿＿＿＿
　　☐ mung bean ＿＿＿＿＿
　　☐ milkfish ＿＿＿＿＿＿

　　☐ black bean ＿＿＿＿＿
　　☐ black fungus ＿＿＿＿
　　☐ eggplant ＿＿＿＿＿＿

　　☐ oatmeal ＿＿＿＿＿＿
　　☐ olive oil ＿＿＿＿＿＿
　　☐ propolis ＿＿＿＿＿＿

16. ☐ coffee ＿＿＿＿＿＿＿
　　☐ cola ＿＿＿＿＿＿＿＿
　　☐ chestnut ＿＿＿＿＿＿

　　☐ cashew ＿＿＿＿＿＿＿
　　☐ chewing gum ＿＿＿＿＿
　　☐ chicken nugget ＿＿＿＿

　　☐ beer ＿＿＿＿＿＿＿＿
　　☐ beverage ＿＿＿＿＿＿
　　☐ broad bean ＿＿＿＿＿

17. ☐ pea ＿＿＿＿＿＿＿＿
　　☐ pecan ＿＿＿＿＿＿＿
　　☐ pistachio ＿＿＿＿＿＿

　　☐ pepper ＿＿＿＿＿＿＿
　　☐ pig's blood cake ＿＿＿
　　☐ scallion pancake ＿＿＿

　　☐ donut ＿＿＿＿＿＿＿＿
　　☐ walnut ＿＿＿＿＿＿＿
　　☐ macadamia ＿＿＿＿＿

18. ☐ honey water ＿＿＿＿＿
　　☐ coconut water ＿＿＿＿
　　☐ coconut flesh ＿＿＿＿

　　☐ black tea ＿＿＿＿＿＿
　　☐ Oolong tea ＿＿＿＿＿
　　☐ Pu-erh tea ＿＿＿＿＿

　　☐ kimchi ＿＿＿＿＿＿＿
　　☐ kumquat ＿＿＿＿＿＿
　　☐ lemonade ＿＿＿＿＿＿

Eat Healthy

19. Stress-Relieving Foods
舒壓食物

看英文唸出中文	一口氣說九句	看中文唸出英文
beet 〔 bit 〕 *n.*	字首是 Bee ⌈ *Beet.* 甜菜。	甜菜
beef² 〔 bif 〕 *n.*	*Beef.* 牛肉。	牛肉
raisin³ 〔ˈrezn̩〕 *n.*	*Raisin.* 葡萄乾。	葡萄乾
egg¹ 〔 εg 〕 *n.*	字首是 E ⌈ *Egg.* 蛋。	蛋
eel⁵ 〔 il 〕 *n.*	*Eel.* 鰻魚。	鰻魚
dark chocolate 〔ˈdɑrk ˈtʃɔkəlɪt〕 *n.*	*Dark chocolate.* 黑巧克力。	黑巧克力
pretzel 〔ˈprɛtsl̩〕 *n.*	*Pretzels.* 蝴蝶餅。	蝴蝶餅
flaxseed 〔ˈflæksˌsid〕 *n.*	都有 seeds ⌈ *Flaxseeds.* 亞麻子。	亞麻子
lotus seed 〔ˈlotəs ˌsid〕 *n.*	*Lotus seeds.* 蓮子。	蓮子

【對話練習】

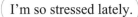

【中文翻譯】

： 我最近壓力大。

： 我也是，但這些食物有助於減輕壓力。

： 真的嗎？是什麼食物？

： 它們是甜菜、牛肉、葡萄乾、蛋、鰻魚、黑巧克力、
蝴蝶餅、亞麻子，以及蓮子。

： 哇，我從未聽過亞麻子或蓮子。

： 相信我，它們很有效。

** stressed〔strɛst〕*adj.* 有壓力的

lately〔'letlɪ〕*adv.* 最近　　relieve〔rɪ'liv〕*v.* 減輕

stress〔strɛs〕*n.* 壓力

dark〔dɑrk〕*adj.* 暗的；(色彩) 帶黑的

chocolate〔'tʃɔkəlɪt〕*n.* 巧克力

lotus〔'lotəs〕*n.* 蓮花　　seed〔sid〕*n.* 種子

hear of 聽說　　trust〔trʌst〕*v.* 信任；相信

work〔wɝk〕*v.* 有效

 **Eat Healthy**

20. Weight-Loss Foods (1)
減重食物

看英文唸出中文	一口氣說九句	看中文唸出英文
borsch 〔 bɔrʃ 〕 n.	*Borsch.* 羅宋湯。	羅宋湯
black coffee 〔 'blæk 'kɔfɪ 〕 n.	*Black coffee.* 黑咖啡。	黑咖啡
white fungus 〔 'hwaɪt 'fʌŋgəs 〕 n.	*White fungus.* 白木耳。	白木耳
bean curd 〔 'bin ˏkɝd 〕 n.	*Bean curd.* 豆腐。	豆腐
bean sprout 〔 'bin ˏspraʊt 〕 n.	*Bean sprout.* 豆芽。	豆芽
red bean 〔 'rɛd ˏbin 〕 n.	*Red bean.* 紅豆。	紅豆
lean[4] 〔 lin 〕 n.	*Lean.* 瘦肉。	瘦肉
leek 〔 lik 〕 n.	*Leek.* 韭菜。	韭菜
leafy greens 〔 'lifɪ ˏgrinz 〕 n. pl.	*Leafy greens.* 多葉的綠色蔬菜。	多葉的綠 色蔬菜

先黑再白

都有 bean

字首都是 Le

 **Eat Healthy**

21. **Weight-Loss Foods (2)**
減重食物

看英文唸出中文	一口氣說九句	看中文唸出英文

salad²
（'sæləd）*n.*

salmon⁵
（'sæmən）*n.*

soba noodles
（'soba 'nudḷz）*n. pl.*

字首都是 S

Salad.
沙拉。

Salmon.
鮭魚。

Soba noodles.
蕎麥麵。

字首是 Sal

沙拉

鮭魚

蕎麥麵

---

boiled egg
（'bɔɪld ˌɛg）*n.*

boiled potato
（'bɔɪld pə'teto）*n.*

chicken breast
（'tʃɪkɪn ˌbrɛst）*n.*

都有 Boild
B 之後是 C

Boiled egg.
水煮蛋。

Boiled potato.
水煮馬鈴薯。

Chicken breast.
雞胸肉。

水煮蛋

水煮
馬鈴薯

雞胸肉

---

purple laver
（'pɝpḷ 'levɚ）*n.*

probiotic
（ˌprobaɪ'atɪk）*n.*

konjac jelly
（'kɑnjæk 'dʒɛlɪ）*n.*

字首是 P
PK

Purple laver.
紫菜。

Probiotic.
益生菌。

Konjac jelly.
蒟蒻。

紫菜

益生菌

蒟蒻

【對話練習】

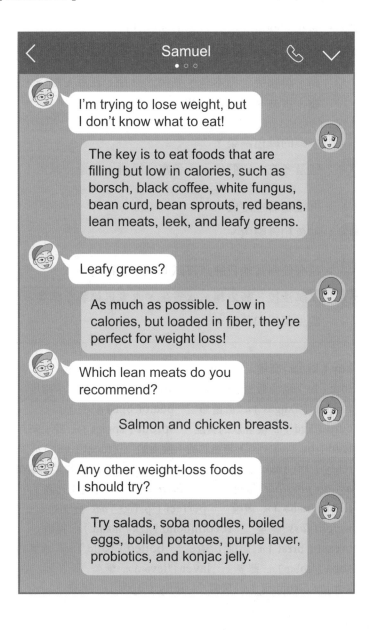

【中文翻譯】

： 我想要減重，但我不知道要吃什麼！

： 關鍵就是要吃有飽足感但是低卡的食物，像是：羅宋湯、黑咖啡、白木耳、豆腐、豆芽、紅豆、瘦肉、韭菜，以及多葉的綠色蔬菜。

： 多葉的綠色蔬菜？

： 儘量多吃。它們低卡，但富含纖維，最適合減重！

： 妳推薦哪些瘦肉？

： 鮭魚和雞胸肉。

： 還有任何其他我應該嘗試的減重食物嗎？

： 試試沙拉、蕎麥麵、水煮蛋、水煮馬鈴薯、紫菜、益生菌，和蒟蒻。

** key〔ki〕*n.* 關鍵　　filling〔'fɪlɪŋ〕*adj.* 填飽肚子的
low〔lo〕*adj.*（數量）低的　　calorie〔'kælərɪ〕*n.* 卡路里
fungus〔'fʌŋgəs〕*n.* 眞菌類　　bean〔bin〕*n.* 豆子
curd〔kɝd〕*n.* 凝乳狀的食品　　sprout〔spraʊt〕*n.* 芽；新芽
lean〔lin〕*adj.*（肉）無脂肪的；瘦肉的　　meat〔mit〕*n.* 肉
leafy〔'lifɪ〕*adj.* 多葉的　　greens〔grinz〕*n. pl.* 青菜；蔬菜
as…as possible 儘可能…　　*be loaded in* 富含；充滿了…
fiber〔'faɪbɚ〕*n.* 纖維　　perfect〔'pɝfɪkt〕*adj.* 完美的
weight loss 減重　　recommend〔ˌrɛkə'mɛnd〕*v.* 推薦
breast〔brɛst〕*n.* 胸部；胸肉　　boiled〔bɔɪld〕*adj.* 水煮的
soba〔'sobɑ〕*n.* 蕎麥　　laver〔'levɚ〕*n.* 紫菜
konjac〔'kɑnjæk〕*n.* 蒟蒻　　jelly〔'dʒɛlɪ〕*n.* 果凍

 **Eat Healthy**

22. Cough Suppressant and Decongestant Foods 止咳化痰食物

看英文唸出中文	一口氣說九句	看中文唸出英文
duck meat 〔'dʌk ˌmit 〕 *n.*	都有Duck《 *Duck meat.* 鴨肉。	鴨肉
duck egg 〔'dʌk ˌɛg 〕 *n.*	*Duck eggs.* 鴨蛋。	鴨蛋
jellyfish 〔'dʒɛlɪˌfɪʃ 〕 *n.*	*Jellyfish.* 海蜇。	海蜇
steamed pear 〔'stimd ˌpɛr 〕 *n.*	都有Steamed《 *Steamed pear.* 蒸梨。	蒸梨
steamed apple 〔'stimd ˌæpl̩ 〕 *n.*	*Steamed apple.* 蒸蘋果。	蒸蘋果
turnip 〔'tɜnɪp 〕 *n.*	*Turnip.* 蘿蔔。	蘿蔔
carp 〔 kɑrp 〕 *n.*	*Carp.* 鯉魚。	鯉魚
venus clam 〔'vinəs ˌklæm 〕 *n.*	字尾是m《 *Venus clam.* 花蛤。	花蛤
chrysanthemum 〔 krɪs'ænθəməm 〕 *n.*	*Chrysanthemum.* 菊花。	菊花

【對話練習】

I just read an article about foods that relieve coughs.

Interesting. What did it say?

It mentioned duck meat, duck eggs, jellyfish, steamed pears, steamed apples, turnips, carp, venus clams, and chrysanthemums.

I had no idea.

【中文翻譯】

😮：我剛剛看了一篇文章，是關於能緩解咳嗽的食物。

😎：很有趣。文章說了什麼？

😮：它提到鴨肉、鴨蛋、海蜇、蒸梨、蒸蘋果、蘿蔔、鯉魚、花蛤，以及菊花。

😎：我以前不知道。

** article〔ˋɑrtɪkḷ〕*n.* 文章
relieve〔rɪˋliv〕*v.* 減輕；緩和
cough〔kɔf〕*n.* 咳嗽
interesting〔ˋɪntrɪstɪŋ〕*adj.* 有趣的
mention〔ˋmɛnʃən〕*v.* 提到　　duck〔dʌk〕*n.* 鴨子
meat〔mit〕*n.* 肉　　steam〔stim〕*v.* 蒸
pear〔pɛr〕*n.* 梨子　　Venus〔ˋvinəs〕*n.* 維納斯
clam〔klæm〕*n.* 蛤蜊　　***have no idea*** 不知道

【劉毅老師的話】

　　老師的通病，是咽喉炎和咳嗽，更嚴重就變成氣喘，這種職業病非常難治療。但是根據我的經驗，每天早上喝薑茶，咳的時候，含一片薑片，便能改善。

Eat Healthy

23. Foods for Good Eyesight
有益眼睛的食物

看英文唸出中文	一口氣說九句	看中文唸出英文
pork liver (ˈpɔrk ˈlɪvɚ) *n.*	*Pork liver.* 豬肝。	豬肝
sunkist (ˈsʌnˌkɪst) *n.*	都有 *Sunkist.* Sun 香吉士。	香吉士
sunflower oil (ˈsʌnˌflauɚ ˌɔɪl) *n.*	*Sunflower oil.* 葵花油。	葵花油
cantaloupe (ˈkæntlˌop) *n.*	字首是 *Cantaloupe.* 哈蜜瓜。	哈蜜瓜
cherry tomato (ˈtʃɛrɪ təˈmeto) *n.*	C *Cherry tomato.* 聖女蕃茄。	聖女蕃茄
bok choy (ˈbɑk ˈtʃɔɪ) *n.*	*Bok choy.* 青江菜。	青江菜
abalone (ˌæbəˈlonɪ) *n.*	字首是 *Abalone.* 鮑魚。	鮑魚
amaranth (ˈæməˌrænθ) *n.*	A A之後是 *Amaranth.* 莧菜。	莧菜
basil (ˈbæzl̩) *n.*	B *Basil.* 九層塔。	九層塔； 羅勒

* Sunkist 是美國的品牌，字典上查不到，可指 Sunkist orange。

【對話練習】

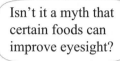

Isn't it a myth that certain foods can improve eyesight?

No, some vitamin-rich foods can help.

What kinds of food?

Well, pork liver, sunkist, sunflower oil, cantaloupe, cherry tomatoes, bok choy, abalone, amaranth, and basil.

OK, I'll give them a shot.

Please do.

【中文翻譯】

：某些食物能改善視力，這不是個迷思嗎？

：不，某些富含維生素的食物的確有幫助。

：什麼種類的食物？

：嗯，豬肝、香吉士、葵花油、哈密瓜、聖女蕃茄、
青江菜、鮑魚、莧菜，以及九層塔。

：好的，我會試試看。

：請務必試試看。

** myth〔 mɪθ 〕*n.* 迷思；不實的想法

certain〔'sɜtn 〕*adj.* 某些

improve〔 ɪm'pruv 〕*v.* 改善

eyesight〔'aɪˌsaɪt 〕*n.* 視力

vitamin〔'vaɪtəmɪn 〕*n.* 維生素

rich〔 rɪtʃ 〕*adj.* 豐富的

vitamin-rich *adj.* 富含維生素的

pork〔 pɔrk 〕*n.* 豬肉   liver〔'lɪvɚ 〕*n.* 肝臟

sunflower〔'sʌnˌflauɚ 〕*n.* 向日葵

cherry〔'tʃɛrɪ 〕*n.* 櫻桃

shot〔 ʃɑt 〕*n.* 射擊；嘗試

give…a shot 試試看

Eat Healthy

24. Foods for Insomnia
助眠食物

看英文唸出中文	一口氣説九句	看中文唸出英文	
soybean milk (ˈsɔɪˌbin ˈmɪlk) *n.*	*Soybean milk.* 豆漿。	豆漿	
soy product (ˈsɔɪ ˈprɑdəkt) *n.*	*Soy products.* 豆類製品。	豆類製品	
sunflower seed (ˈsʌnˌflauɚ ˈsid) *n.*	*Sunflower seeds.* 葵花子。	葵花子	

字首都是 S　　都有 Soy

shellfish (ˈʃɛlˌfɪʃ) *n.*	*Shellfish.* 貝類。	貝類	
saury (ˈsɔrɪ) *n.*	*Saury.* 秋刀魚。	秋刀魚	
oyster[5] (ˈɔɪstɚ) *n.*	*Oysters.* 生蠔。	生蠔	

都是海鮮　　字首是 S

cinnamon (ˈsɪnəmən) *n.*	*Cinnamon.* 肉桂。	肉桂	
brown sugar (ˈbraun ˈʃugɚ) *n.*	*Brown sugar.* 黑糖。	黑糖	
Job's tear (ˈdʒɑbz ˈtɪr) *n.*	*Job's tears.* 薏仁。	薏仁	

【對話練習】

My insomnia's been getting worse. I feel fatigued all the time.

I'm sorry to hear that. Have you considered eating foods containing substances that help you sleep?

I never thought about it!

Eat more soy products, like soy milk, sunflower seeds, shellfish, saury, oysters, cinnamon, brown sugar, and Job's tears.

How will these help?

They can boost serotonin and melatonin production, hormones that regulate sleep!

───　【中文翻譯】　───

🧑‍🦰：我失眠的情況日益嚴重。我一直覺得很疲倦。

🧑‍🦱：聽到這件事我很遺憾。妳有考慮吃含有助眠物質的食物嗎？

🧑‍🦰：我從未想過這件事！

🧑‍🦱：要多吃像是豆漿的豆類製品、葵花子、貝類、秋刀魚、生蠔、肉桂、黑糖，和薏仁。

🧑‍🦰：這些會有什麼幫助？

🧑‍🦱：它們能促進血清素和褪黑激素的形成，它們是能調節睡眠的荷爾蒙！

** insomnia〔ɪn'sɑmnɪə〕*n.* 失眠

fatigued〔fə'tigd〕*adj.* 疲乏的　　***all the time*** 一直；總是

consider〔kən'sɪdə〕*v.* 考慮　　contain〔kən'ten〕*v.* 包含

substance〔'sʌbstəns〕*n.* 物質　　soy〔sɔɪ〕*n.* 黃豆

tear〔tɪr〕*n.* 眼淚　　boost〔bust〕*v.* 提高；增加

serotonin〔ˌsɛrə'tonɪn〕*n.* 血清素

melatonin〔ˌmɛlə'tonɪn〕*n.* 褪黑激素

production〔prə'dʌkʃən〕*n.* 生產；製造

hormone〔'hɔrmon〕*n.* 荷爾蒙

regulate〔'rɛgjəˌlet〕*v.* 調整；調節；使規則化

自我測驗 19～24

※ 請看下面中文，唸出英文來，你會唸得很痛快。

19. ☐ 甜菜 _____
☐ 牛肉 _____
☐ 葡萄乾 _____

☐ 蛋 _____
☐ 鰻魚 _____
☐ 黑巧克力 _____

☐ 蝴蝶餅 _____
☐ 亞麻子 _____
☐ 蓮子 _____

20. ☐ 羅宋湯 _____
☐ 黑咖啡 _____
☐ 白木耳 _____

☐ 豆腐 _____
☐ 豆芽 _____
☐ 紅豆 _____

☐ 瘦肉 _____
☐ 韭菜 _____
☐ 多葉的綠色蔬菜 _____

21. ☐ 沙拉 _____
☐ 鮭魚 _____
☐ 蕎麥麵 _____

☐ 水煮蛋 _____
☐ 水煮馬鈴薯 _____
☐ 雞胸肉 _____

☐ 紫菜 _____
☐ 益生菌 _____
☐ 蒟蒻 _____

22. ☐ 鴨肉 _____
☐ 鴨蛋 _____
☐ 海蜇 _____

☐ 蒸梨 _____
☐ 蒸蘋果 _____
☐ 蘿蔔 _____

☐ 鯉魚 _____
☐ 花蛤 _____
☐ 菊花 _____

23. ☐ 豬肝 _____
☐ 香吉士 _____
☐ 葵花油 _____

☐ 哈蜜瓜 _____
☐ 聖女蕃茄 _____
☐ 青江菜 _____

☐ 鮑魚 _____
☐ 莧菜 _____
☐ 九層塔；羅勒 _____

24. ☐ 豆漿 _____
☐ 豆類製品 _____
☐ 葵花子 _____

☐ 貝類 _____
☐ 秋刀魚 _____
☐ 生蠔 _____

☐ 肉桂 _____
☐ 黑糖 _____
☐ 薏仁 _____

※ 請看下面英文，唸出中文來，還有哪個字你不認識嗎 ?!

19. ☐ beet _____
    ☐ beef _____
    ☐ raisin _____

    ☐ egg _____
    ☐ eel _____
    ☐ dark chocolate _____

    ☐ pretzel _____
    ☐ flaxseed _____
    ☐ lotus seed _____

20. ☐ borsch _____
    ☐ black coffee _____
    ☐ white fungus _____

    ☐ bean curd _____
    ☐ bean sprout _____
    ☐ red bean _____

    ☐ lean _____
    ☐ leek _____
    ☐ leafy greens _____

21. ☐ salad _____
    ☐ salmon _____
    ☐ soba noodles _____

    ☐ boiled egg _____
    ☐ boiled potato _____
    ☐ chicken breast _____

    ☐ purple laver _____
    ☐ probiotic _____
    ☐ konjac jelly _____

22. ☐ duck meat _____
    ☐ duck egg _____
    ☐ jellyfish _____

    ☐ steamed pear _____
    ☐ steamed apple _____
    ☐ turnip _____

    ☐ carp _____
    ☐ venus clam _____
    ☐ chrysanthemum _____

23. ☐ pork liver _____
    ☐ sunkist _____
    ☐ sunflower oil _____

    ☐ cantaloupe _____
    ☐ cherry tomato _____
    ☐ bok choy _____

    ☐ abalone _____
    ☐ amaranth _____
    ☐ basil _____

24. ☐ soybean milk _____
    ☐ soy product _____
    ☐ sunflower seed _____

    ☐ shellfish _____
    ☐ saury _____
    ☐ oyster _____

    ☐ cinnamon _____
    ☐ brown sugar _____
    ☐ Job's tears _____

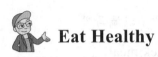 **Eat Healthy**

25. McDonald's (1)
麥當勞

看英文唸出中文	一口氣說九句	看中文唸出英文	
hamburger[2] (ˈhæmbɝɡɚ) *n.*	都有 burger {	*Hamburger*. 漢堡。	漢堡	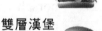
cheeseburger (ˈtʃizˌbɝɡɚ) *n.*		*Cheeseburger*. 吉士漢堡。	吉士漢堡	
Double Burger (ˈdʌbl̩ ˈbɝɡɚ) *n.*		*Double Burger*. 雙層漢堡。	雙層漢堡	
McChicken (mækˈtʃɪkɪn) *n.*	都有 Chicken {	*McChicken*. 麥香雞。	麥香雞	
fried chicken (ˈfraɪd ˈtʃɪkɪn) *n.*		*Fried chicken*. 麥脆雞。	麥脆雞	
chicken nugget (ˈtʃɪkɪn ˈnʌgɪt) *n.*		*Chicken nuggets*. 麥克雞塊。	麥克雞塊	
Big Mac (ˈbɪg ˈmæk) *n.*		*Big Mac*. 大麥克。	大麥克	
Quarter Pounder (ˈpaʊndɚ) *n.*		*Quarter Pounder*. 四盎司牛肉堡。	四盎司 牛肉堡	
Filet-O-Fish (fɪˈle o ˈfɪʃ) *n.*		*Filet-O-Fish*. 麥香魚。	麥香魚	

 **Eat Healthy**

26. McDonald's (2)
麥當勞

看英文唸出中文	一口氣說九句	看中文唸出英文
fries³ 〔 fraɪz 〕 *n. pl.*	*Fries.* 薯條。	薯條 (= *French fries*)
McMuffin 〔 mæk'mʌfɪn 〕 *n.*	*McMuffin.* 滿福堡。	滿福堡
pancake³ 〔'pæn͵kek 〕 *n.*	*Pancake.* 鬆餅。	鬆餅
apple pie 〔'æpḷ 'paɪ 〕 *n.*	*Apple pie.* 蘋果派。	蘋果派
sundae 〔'sʌnde 〕 *n.*	*Sundae.* 聖代。	聖代
shake¹ 〔 ʃek 〕 *n.*	*Shake.* 奶昔。	奶昔
Sprite 〔 spraɪt 〕 *n.*	←*Sprite.* 雪碧。	雪碧
Fanta 〔'fæntə 〕 *n.*	*Fanta.* 芬達。	芬達
Coca-Cola¹ 〔'kokə'kolə 〕 *n.*	*Coca-Cola.* 可口可樂。	可口可樂

字首是 S

接上面

【背景說明 25】

　　麥當勞（McDonald's）是美國最有名的速食餐廳，它的招牌是 *Big Mac*（大麥克）和早餐的 Egg McMuffin（滿福堡加蛋）。*Hamburger.*（漢堡。）源自德國的 Hamburg（漢堡市），*McChicken.*（麥香雞。）前面的 Mc 是麥當勞自己加上去的。*Chicken nuggets.*（麥克雞塊。）中的 nugget 是「金塊」，因為 Chicken Nugget 的外形看起來像金塊（look like nuggets of gold）。*Quarter Pounder* 的全名是 a quarter pound of beef（四分之一磅的牛肉）。*Filet-O-Fish* 本來是 filet of fish（魚排），filet 是「魚片；肉片」，好聽的話就是「魚排；肉排」。Filet-O-Fish 事實上就是一片魚（= *a piece of fish*）。

【背景說明 26】

　　fries（薯條）（= *French fries*；French fried potatoes），永遠用複數。【詳見「一口氣背會話」p.67】*McMuffin* 在麥當勞是指裡面會夾肉或蛋的 English muffin（英式馬芬）。muffin 還可以指甜點「馬芬」。在美國餐廳，如果你要點像麥當勞的「滿福堡」，你要說：I'd like an English muffin. 或 I'd like a breakfast muffin sandwich. 如果你要甜點，就要說：I'd like a blueberry muffin.（我想要一個藍莓馬芬。）或 I'd like a chocolate muffin.（我想要一個巧克力馬芬。）*pancake* 和 waffle 都是「鬆餅」，原料相同，做法不同。*sundae*（聖代）是冰淇淋上加點東西（ice cream served with a sweet sauce, nuts, fruit, and syrup），源自禮拜天（Sunday）生意不好，把冰淇淋加上一點配料，甜醬、堅果、水果、和糖漿，吸引顧客。*shake*（奶昔）（= *milkshake*）是液態的冰淇淋。*Sprite*（雪碧），源自 sprite「小精靈；小仙子」（= *little fairy*）。

【對話練習】

 ：Hello, welcome to McDonald's. What would you like to eat?

 ：What do you have?

 ：Hamburgers, cheeseburgers, Double Burgers, chicken sandwiches, fried chicken, and chicken nuggets.

 ：What do most people get?

 ：Our McChicken, Big Mac, Quarter Pounder, and Filet-O-Fish are popular.

 ：Great, I'll get a Big Mac to go.

 ：Would you like any sides?

 ：A small French fries, please. And do you have pancakes?

: Sorry, no. Pancakes and McMuffins are only available during breakfast hours.

: That's OK.

: Anything to drink?

: What sodas do you have?

: Sprite, Fanta, and Coca-Cola.

: Sprite, please.

: Any dessert? We have apple pie, ice cream sundaes, and milk shakes.

: No, thank you.

: So one Big Mac, a small French fries, and a large Sprite?

: That's right.

【中文翻譯】

：哈囉，歡迎光臨麥當勞。妳想要吃什麼？

：你們有什麼？

：漢堡、吉士漢堡、雙層漢堡、雞肉三明治、麥脆雞，以及麥克雞塊。

：大部份的人都買什麼？

：我們的麥香雞、大麥克、四盎司牛肉堡，以及麥香魚都很受歡迎。

：太棒了，我要外帶一份大麥克。

：妳想要任何附餐嗎？

：請給我一份小薯。你們有鬆餅嗎？

：抱歉，沒有。鬆餅和滿福堡只有在早餐時間才有。

：沒關係。

：要喝什麼嗎？

：你們有什麼汽水？

：雪碧、芬達，和可口可樂。

：請給我雪碧。

：要甜點嗎？我們有蘋果派、冰淇淋聖代，以及奶昔。

：不用，謝謝。

：所以是一個大麥克、一份小薯，和一杯大杯的雪碧？

：沒錯。

** McDonald's〔 məkˈdɑnl̩z 〕 n. 麥當勞

double〔ˈdʌbl̩〕 adj. 兩倍的；雙層的

sandwich〔ˈsænwɪtʃ〕 n. 三明治

fried〔 fraɪd 〕 adj. 油炸的　　get〔 gɛt 〕 v. 買

quarter〔ˈkwɔrtɚ〕 adj. 四分之一的　　to go 外帶

sides〔 saɪdz 〕 n. pl. 附餐　　French fries 薯條

available〔 əˈveləbl̩ 〕 adj. 可獲得的

hours〔 aʊrz 〕 n. pl. 時間　　soda〔ˈsodə〕 n. 汽水

dessert〔 dɪˈzɝt 〕 n. 甜點

【劉毅老師的話】

　　麥當勞的經典食品是「大麥克」(Big Mac)。雖然每年不斷創新，東加西加、東改西改，但 Big Mac 永遠是排行第一，而早餐最有名的是 Sausage Egg McMuffin (豬肉滿福堡加蛋)，這兩樣是他們的招牌。

 **Eat Healthy**

27. All Kinds of Eggs
各種蛋的吃法

看英文唸出中文	一口氣說九句	看中文唸出英文
over-easy 〔͵ovɚ'izɪ〕adj.	**Over-easy.** 兩面煎的嫩荷包蛋。	半熟兩 面煎的
sunny-side up 〔͵sʌnɪ'saɪd 'ʌp〕adj.	**Sunny-side up.** 只煎一面的荷包蛋。	只煎一面的
scrambled eggs 〔'skræmbḷd 'ɛgz〕n. pl.	**Scrambled eggs.** 炒蛋。	炒蛋
boiled egg 〔'bɔɪld 'ɛg〕n.	**Boiled egg.** 水煮蛋。	水煮蛋
soft-boiled 〔͵sɔft'bɔɪld〕adj.	**Soft-boiled.** 半熟蛋。	半熟的
hard-boiled 〔͵hɑrd'bɔɪld〕adj.	**Hard-boiled.** 全熟蛋。	煮得老的
omelet 〔'ɑmlɪt〕n.	**Omelet.** 煎蛋捲。	煎蛋捲
poached egg 〔'potʃt 'ɛg〕n.	**Poached egg.** 水煮荷包蛋。	水煮 荷包蛋
Eggs Benedict 〔'ɛgz 'bɛnədɪkt〕n.	**Eggs Benedict.** 班尼狄克蛋。	班尼 狄克蛋

字首是 S

都有 boiled

都有 egg

【背景説明 27】

美國人吃蛋很講究，你可以吃 *over-easy* 兩面煎的嫩荷包蛋，over-hard 兩面煎的老荷包蛋，over-medium 兩面煎的不老、不嫩的荷包蛋。你可以跟廚師説：I'll have two eggs *over-easy.*（我要兩個雙面煎的嫩荷包蛋。）*sunny-side up*（只煎一面的荷包蛋），因為蛋黃的形狀像太陽。

boiled egg 是「水煮蛋」，是帶殼的，要吃半熟的，就可以説：I'd have a *soft-boiled* egg.（我要一個半熟蛋。）通常只煮兩、三分鐘。*hard-boiled*（全熟的），通常煮 10 分鐘。

「煎蛋捲」*omelet*，可指定説：I'll have a spinach *omelet.*（我要一個菠菜煎蛋捲。）omelet 不是打散的蛋，而是像蛋捲一樣，通常是四個蛋打散，煎成一盤，膽固醇相當高。你可以要求吃 scrambled egg whites（炒蛋白），你可以加你想要的東西，如起司、蕃茄、蔬菜等。有些餐廳會把所有的蛋黃和蛋白分開，所以你吃的煎蛋捲時，可能蛋黃很多，不利於健康。*poached egg* 是水煮荷包蛋，是把蛋打到滾水裡，通常都是很嫩的。

Eggs Benedict（班尼狄克蛋），下面是麵包，裡面夾培根，上面放了水煮荷包蛋（poached egg）。吃的時候，用刀把水煮荷包蛋切成一半，半熟的蛋黃流下來，特別可口。

Eggs Benedict

【對話練習】

【中文翻譯】

：你的蛋要怎麼煮？

：我能有什麼選擇？

：我們會做兩面煎的嫩荷包蛋、只煎一面的荷包蛋、
炒蛋、全熟蛋、半熟蛋、煎蛋捲、水煮荷包蛋，以
及班尼狄克蛋。

：請給我炒蛋。

：沒問題。

** scramble〔ˋskræmbl̩〕*v.* 把（蛋）邊炒邊攪
boil〔bɔɪl〕*v.* 煮沸；將…煮（成）
poach〔potʃ〕*v.* 打（蛋）入沸水中煮；水煮（荷包蛋）
You got it. 沒問題；我馬上照辦。

【劉毅老師的話】

　　雞蛋的好壞，要看它的蛋黃，好的雞蛋的
蛋黃，用筷子戳三下都不會破。如果一打，蛋
黃就立刻破的雞蛋，千萬不要吃。所以，早餐
吃炒蛋（scrambled eggs），有點冒險。

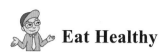 **Eat Healthy**

28. Bread
麵 包

看英文唸出中文	一口氣說九句	看中文唸出英文
bun²〔bʌn〕 n.	**Bun.** 小圓麵包。	小圓麵包
bagel〔ˈbegəl〕 n.	**Bagel.** 貝果。	貝果
biscuit³〔ˈbɪskɪt〕 n.	**Biscuit.** 比司吉。	比司吉

字首都是 B

pita〔ˈpitɑ , -tə〕 n.	**Pita.** 皮塔麵包。	皮塔麵包
croissant〔krəˈsɑnt〕 n.	**Croissant.** 可頌。	可頌
garlic bread〔ˈgɑrlɪk ˈbrɛd〕 n.	**Garlic bread.** 大蒜麵包。	大蒜麵包

由短到長

roll¹〔rol〕 n.	**Roll.** 麵包捲。	麵包捲
scone〔skon〕 n.	**Scone.** 司康。	司康
baguette〔bæˈgɛt〕 n.	**Baguette.** 長棍麵包。	長棍麵包

由短到長

【對話練習】

I really miss western bread.

What do you mean?

I mean buns, bagels, biscuits, pita, croissants, garlic bread, rolls, scones, and baguettes.

You can buy those breads here!

It's not the same.

【中文翻譯】

：我真的很想念西式麵包。

：妳的意思是什麼？

：我是指小圓麵包、貝果，和比司吉。皮塔麵包、可頌、大蒜麵包、麵包捲、司康，和長棍麵包。

：妳可以在這裡買到那些麵包！

：那不一樣。

** miss〔mɪs〕*v.* 想念
western〔'wɛstən〕*adj.* 西方的；歐美的
bread〔brɛd〕*n.* 麵包　　mean〔min〕*v.* 意思是
garlic〔'garlɪk〕*n.* 大蒜　　same〔sem〕*adj.* 同樣的

【劉毅老師的話】

　　「英文一字金」充滿了無限的知識和正能量，越背身體越好，心情越愉快。等電梯、等人時，都變成你最快樂的時光，永遠不會無聊。

Eat Healthy

29. Coffee
咖 啡

看英文唸出中文	一口氣說九句	看中文唸出英文
latte 〔′lɑte 〕 *n.*	*Latte.* 拿鐵。	拿鐵咖啡
mocha 〔′mokə 〕 *n.*	*Mocha.* 摩卡咖啡。	摩卡咖啡
espresso 〔 ɛs′prɛso 〕 *n.*	*Espresso.* 濃縮咖啡。	濃縮咖啡

	字尾是 no		字尾是 o	
Americano 〔 ə͵mɛrɪ′kɑno 〕 *n.*		*Americano.* 美式咖啡。		美式咖啡
cappuccino 〔͵kɑpə′tʃino 〕 *n.*		*Cappuccino.* 卡布奇諾。		卡布奇諾
macchiato 〔͵mɑkɪ′ato 〕 *n.*		*Macchiato.* 瑪奇朵咖啡。		瑪奇朵咖啡

decaf 〔′di͵kæf 〕 *n.*	*Decaf.* 低咖啡因咖啡。	低咖啡因咖啡 (= *decaffeinated*)
Irish coffee 〔′aɪrɪʃ ′kɔfɪ 〕 *n.*	*Irish coffee.* 愛爾蘭咖啡。	愛爾蘭咖啡
Blue Mountain 〔′blu ′maʊntn̩ 〕 *n.*	*Blue Mountain.* 藍山咖啡。	藍山咖啡

【對話練習】

Why are people so crazy about coffee? Isn't it all the same?

Are you kidding me? There are so many kinds: latte, mocha, espresso, Americano, cappuccino, and macchiato.

I don't need caffeine.

Then get decaf.

I still don't like coffee.

At least try this Irish coffee.

OK, it's not bad.

Now try this Blue Mountain coffee.

No, thanks!

【中文翻譯】

：為什麼大家這麼喜歡咖啡？咖啡不是都一樣嗎？

：妳在開玩笑嗎？咖啡有很多種類：拿鐵、摩卡咖啡、濃縮咖啡、美式咖啡、卡布其諾，以及瑪奇朵咖啡。

：我不需要咖啡因。

：那就喝低咖啡因咖啡。

：我還是不喜歡咖啡。

：至少試試這個愛爾蘭咖啡。

：好的，還不錯。

：現在試試這個藍山咖啡。

：不了，謝謝！

**   *be crazy about* 很喜歡   coffee〔ˋkɔfɪ〕*n.* 咖啡
     kid〔kɪd〕*v.* 開…玩笑
     caffeine〔ˋkæfiɪn〕*n.* 咖啡因   *at least* 至少
     Irish〔ˋaɪrɪʃ〕*adj.* 愛爾蘭的
     Irish coffee 愛爾蘭咖啡【即咖啡加威士忌和奶油】

Eat Healthy

30. **Desserts**
甜 點

看英文唸出中文	一口氣說九句	看中文唸出英文
tart[5] 〔 tɑrt 〕*n.*	字首是 T	*Tart.* 水果餡餅。	水果餡餅；塔
tiramisu 〔ˌtɪrəmiˈsu 〕*n.*		*Tiramisu.* 提拉米蘇。	提拉米蘇
macaron 〔ˌmɑkɑˈrɔ̃ 〕*n.*	字首是 M	*Macaron.* 馬卡龍。	馬卡龍
mousse 〔 mus 〕*n.*		*Mousse.* 慕斯。	慕斯
pie[1] 〔 paɪ 〕*n.*	字首是 P	*Pie.* 派。	派
pudding[2] 〔ˈpʊdɪŋ 〕*n.*		*Pudding.* 布丁。	布丁
cookie[1] 〔ˈkʊkɪ 〕*n.*	字首都是 C	*Cookie.* 餅乾。	餅乾
crepe 〔 krep 〕*n.*		*Crepe.* 可麗餅。	可麗餅
cheesecake[3] 〔ˈtʃizˌkek 〕*n.*		*Cheesecake.* 起司蛋糕。	起司蛋糕

【對話練習】

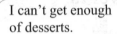

I can't get enough
of desserts.

Oh? What desserts
do you like?

All of them! I like tarts, tiramisu,
and macarons. I love mousse, pie,
and pudding. Cookies, crepes,
and cheesecake are my favorites!

Wow, just don't
eat too much!

─────【 中文翻譯 】─────

（圖）：我甜點再怎麼吃都不夠。

（圖）：喔？妳喜歡什麼甜點？

（圖）：全部的甜點！我喜歡水果餡餅、提拉米蘇，和馬卡
　　　龍。我很愛慕斯、派，和布丁。餅乾、可麗餅，和
　　　起司蛋糕是我的最愛！

（圖）：哇，不要吃太多就好！

** *can't…enough*　無論…都不夠
dessert〔dɪˈzɜt〕*n.* 甜點
favorite〔ˈfevərɪt〕*n.* 最喜歡的人或物

─────【 劉毅老師的話 】─────
　　凡是經過加工的食物（processed food）
要小心，如泡麵，含鹽份過高，吃三包即超過
一天所需的鹽份。過多的鹽份會導致胃癌、骨
質疏鬆症等。外食要注意，儘量不要吃醬料，
火鍋湯底千萬喝不得。

自我測驗 25～30

※ 請看下面中文，唸出英文來，你會唸得很痛快。

25. ☐ 漢堡 _____
    ☐ 吉士漢堡 _____
    ☐ 雙層漢堡 _____

    ☐ 麥香雞 _____
    ☐ 麥脆雞 _____
    ☐ 麥克雞塊 _____

    ☐ 大麥克 _____
    ☐ 四盎司牛肉堡 _____
    ☐ 麥香魚 _____

26. ☐ 薯條 _____
    ☐ 滿福堡 _____
    ☐ 鬆餅 _____

    ☐ 蘋果派 _____
    ☐ 聖代 _____
    ☐ 奶昔 _____

    ☐ 雪碧 _____
    ☐ 芬達 _____
    ☐ 可口可樂 _____

27. ☐ 半熟兩面煎的 _____
    ☐ 只煎一面的 _____
    ☐ 炒蛋 _____

    ☐ 水煮蛋 _____
    ☐ 半熟的 _____
    ☐ 煮得老的 _____

    ☐ 煎蛋捲 _____
    ☐ 水煮荷包蛋 _____
    ☐ 班尼狄克蛋 _____

28. ☐ 小圓麵包 _____
    ☐ 貝果 _____
    ☐ 比司吉 _____

    ☐ 皮塔麵包 _____
    ☐ 可頌 _____
    ☐ 大蒜麵包 _____

    ☐ 麵包捲 _____
    ☐ 司康 _____
    ☐ 長棍麵包 _____

29. ☐ 拿鐵咖啡 _____
    ☐ 摩卡咖啡 _____
    ☐ 濃縮咖啡 _____

    ☐ 美式咖啡 _____
    ☐ 卡布奇諾 _____
    ☐ 瑪奇朵咖啡 _____

    ☐ 低咖啡因咖啡 _____
    ☐ 愛爾蘭咖啡 _____
    ☐ 藍山咖啡 _____

30. ☐ 水果餡餅；塔 _____
    ☐ 提拉米蘇 _____
    ☐ 馬卡龍 _____

    ☐ 慕斯 _____
    ☐ 派 _____
    ☐ 布丁 _____

    ☐ 餅乾 _____
    ☐ 可麗餅 _____
    ☐ 起司蛋糕 _____

※ 請看下面英文，唸出中文來，還有哪個字你不認識嗎 ?!

25. ☐ hamburger _____
☐ cheeseburger _____
☐ Double Burger _____
☐ McChicken _____
☐ fried chicken _____
☐ chicken nugget _____
☐ Big Mac _____
☐ Quarter Pounder _____
☐ Filet-O-Fish _____

26. ☐ fries _____
☐ McMuffin _____
☐ pancake _____
☐ apple pie _____
☐ sundae _____
☐ shake _____
☐ Sprite _____
☐ Fanta _____
☐ Coca-Cola _____

27. ☐ over-easy _____
☐ sunny-side up _____
☐ scrambled eggs _____
☐ boiled egg _____
☐ soft-boiled _____
☐ hard-boiled _____
☐ omelet _____
☐ poached egg _____
☐ Eggs Benedict _____

28. ☐ bun _____
☐ bagel _____
☐ biscuit _____
☐ pita _____
☐ croissant _____
☐ garlic bread _____
☐ roll _____
☐ scone _____
☐ baguette _____

29. ☐ latte _____
☐ mocha _____
☐ espresso _____
☐ Americano _____
☐ cappuccino _____
☐ macchiato _____
☐ decaf _____
☐ Irish coffee _____
☐ Blue Mountain _____

30. ☐ tart _____
☐ tiramisu _____
☐ macaron _____
☐ mousse _____
☐ pie _____
☐ pudding _____
☐ cookie _____
☐ crepe _____
☐ cheesecake _____

Eat Healthy

31. Italian Food
義大利菜

看英文唸出中文	一口氣說九句	看中文唸出英文	
spaghetti[2] 〔 spə'gɛtɪ 〕*n.*	*Spaghetti.* 細長圓麵。	細長圓麵	
linguine 〔 lɪŋ'gwɪnɪ 〕*n.*	*Linguine.* 細扁麵。	細扁麵 (= *linguini*)	
lasagna 〔 lə'zænjə , -'zɑn- 〕*n.*	*Lasagna.* 千層麵。	千層麵 (= *lasagne*)	

字首是 L

pizza[2] 〔'pitsə 〕*n.*	*Pizza.* 披薩。	披薩	
ravioli 〔,rævɪ'olɪ 〕*n.*	*Ravioli.* 義大利方餃。	義大利方餃	
risotto 〔 rɪ'zato 〕*n.*	*Risotto.* 義式燉飯。	義式燉飯	

字首是 R

pasta[4] 〔'pastə 〕*n.*	*Pasta.* 義大利麵。	義大利麵	
macaroni 〔,mækə'ronɪ 〕*n.*	*Macaroni.* 通心粉。	通心粉	
capellini 〔,kapə'linɪ 〕*n.*	*Capellini.* 天使麵。	天使麵	

字尾是 ni

【對話練習】

─── 【中文翻譯】 ───

🧑 ： 我要去試試眞正的義大利菜。

👧 ：眞的嗎？像什麼？

🧑 ： 我等不及要嚐嚐細長圓麵、細扁麵、千層麵、披薩、義大利餃、義式燉飯、義大利麵、通心粉，以及天使麵。

👧 ：聽起來很好吃。

🧑 ： 但願如此！

** try〔traɪ〕*v.* 試嚐；試吃
authentic〔ɔ'θɛntɪk〕*adj.* 眞正的
Italian〔ɪ'tæljən〕*adj.* 義大利的　　sound〔saʊnd〕*v.* 聽起來
Sounds delicious! 是由 It sounds delicious! 簡化而來。

─── 【劉毅老師的話】 ───

　　爲了應酬、取悅別人、做生意而吃飯很辛苦，要儘量避免。要找你喜歡的人、去你喜歡的地方、吃你喜歡的東西，對身心有幫助。

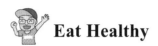 **Eat Healthy**

32. French Food
法國菜

看英文唸出中文	一口氣說九句	看中文唸出英文	
truffle 〔ˈtrʌfḷ 〕 *n.*	*Truffle.* 松露。	松露	
escargot 〔ˌɛskɑrˈgo 〕 *n.*	E 之 後 是 F	*Escargot.* 蝸牛。	食用蝸牛	
foie gras 〔 fwɑ ˈgrɑ 〕 *n.*		*Foie gras.* 鵝肝。	鵝肝	

caviar 〔ˈkævɪˌɑr 〕 *n.*	C 之 後 是 D	*Caviar.* 魚子醬。	魚子醬	
duck breast 〔ˈdʌk ˈbrɛst 〕 *n.*		*Duck breast.* 鴨胸。	鴨胸	
stewed beef 〔ˈstjud ˈbif 〕 *n.*		*Stewed beef.* 燉牛肉。	燉牛肉	

onion soup 〔ˈʌnjən ˈsup 〕 *n.*		*Onion soup.* 洋蔥湯。	洋蔥湯	
lobster bisque 〔ˈlɑbstɚ ˈbɪsk 〕 *n.*	字 首 是 L	*Lobster bisque.* 龍蝦濃湯。	龍蝦濃湯	
lava cake 〔ˈlɑvə ˈkek 〕 *n.*		*Lava cake.* 熔岩蛋糕。	熔岩蛋糕	

【對話練習】

I can't read this menu. It's in French! Can you help translate?

No problem! It says they have: truffles, escargot, foie gras, caviar, duck breast, stewed beef, onion soup, and lobster bisque. There's also lava cake for dessert.

What's foie gras?

It's the liver of a duck or goose that's been forcibly fed through a tube.

No, thank you!

But it's a luxury food!

Still, no thanks.

【中文翻譯】

：我看不懂菜單。它是用法文寫的！你能幫忙翻譯嗎？

：沒問題！上面寫說他們有松露、蝸牛、鵝肝、魚子醬、鴨胸、燉牛肉、洋蔥湯，和龍蝦濃湯。還有熔岩蛋糕當甜點。

：鵝肝是什麼？

：那是被強制用管子餵食的鴨或鵝的肝。

：不用了，謝謝！

：但它是高級食物！

：還是不要了，謝謝。

** menu〔ˈmɛnju〕n. 菜單　　translate〔trænsˈlet〕v. 翻譯
stew〔stju〕v. 燉　　beef〔bif〕n. 牛肉
onion〔ˈʌnjən〕n. 洋蔥　　lobster〔ˈlɑbstɚ〕n. 龍蝦
bisque〔bɪsk〕n.（用魚、蝦、蛤等調製的）一種奶油濃湯
lava〔ˈlævə〕n. 岩漿　　liver〔ˈlɪvɚ〕n. 肝臟
duck〔dʌk〕n. 鴨　　goose〔gus〕n. 鵝
forcibly〔ˈfɔrsəblɪ〕adv. 強制地　　feed〔fid〕v. 餵食
tube〔tjub〕n. 管子
luxury〔ˈlʌkʃərɪ〕adj. 豪華的；高級的
still〔stɪl〕adv. 儘管如此還是

Eat Healthy

33. **American Food (1)**
美國食物

看英文唸出中文	一口氣説九句	看中文唸出英文	
fillet (ˈfɪlɪt , fɪˈle) *n.*	*Fillet.* 菲力牛排。	菲力	
sirloin (ˈsɝlɔɪn) *n.*	*Sirloin.* 沙朗牛排。	沙朗	
spare rib (ˈspɛr ˈrɪb) *n.*	*Spare rib.* 牛小排。	牛小排	
veal (vil) *n.*	*Veal.* 小牛肉。	小牛肉	
T-bone (ˈtiˌbon) *n.*	*T-bone.* 丁骨牛排。	丁骨	
rib eye (ˈrɪb ˌaɪ) *n.*	*Rib eye.* 肋眼牛排。	肋眼	
Wagyu (ˈwɑgjʊ) *n.*	*Wagyu.* 和牛。	和牛	
Kobe beef (ˈkobe ˌbif) *n.*	*Kobe beef.* 神戶牛。	神戶牛	
New York strip (nju ˈjɔrk ˈstrɪp) *n.*	*New York strip.* 紐約牛排。	紐約牛排	

字首是 S

由短到長

來自日文

【對話練習】

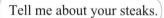

Tell me about your steaks.

We have a great fillet, sirloin steak, and spare rib set. People love our veal, T-bone steak, and rib eye steak.

Do you have anything new?

We just added Wagyu and Kobe beef to our menu.

I'll take the New York Strip.

【中文翻譯】

- 👓 : 告訴我你們有哪些牛排。

- 🧑 : 我們有大份的菲力牛排、沙朗牛排,和牛小排套餐。
  大家都很愛我們的小牛肉、丁骨牛排,和肋眼牛排。

- 👓 : 你們有什麼新菜?

- 🧑 : 我們剛剛把和牛和神戶牛加到菜單裡。

- 👓 : 我要吃紐約牛排。

** steak〔stek〕*n.* 牛排

spare〔spɛr〕*adj.*(無贅肉的)瘦的

rib〔rɪb〕*n.* 肋骨　　add〔æd〕*v.* 加

add A to B 把 A 加到 B 上　　take〔tek〕*v.* 吃

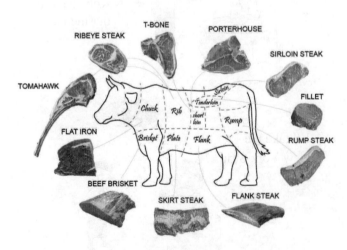

The Parts of Beef Used for Steak

 **Eat Healthy**

34. American Food (2)
美國食物

看英文唸出中文	一口氣說九句	看中文唸出英文	
coleslaw 〔ˈkolˌslɔ 〕*n.*	字首是 C	*Coleslaw.* 甘藍沙拉。	甘藍沙拉
Caesar salad 〔ˈsizɚ ˈsæləd 〕*n.*		*Caesar salad.* 凱撒沙拉。	凱撒沙拉
garden salad 〔ˈgɑrdn̩ ˈsæləd 〕*n.*		*Garden salad.* 田園沙拉。	田園沙拉
corn soup 〔ˈkɔrn ˈsup 〕*n.*	字首是 C	*Corn soup.* 玉米湯。	玉米湯
clam chowder 〔ˈklæm ˈtʃaʊdɚ 〕*n.*		*Clam chowder.* 蛤蜊濃湯。	蛤蜊濃湯
mushroom soup 〔ˈmʌʃrum ˈsup 〕*n.*		*Mushroom soup.* 蘑菇濃湯。	蘑菇濃湯
lamb chop 〔ˈlæm ˈtʃɑp 〕*n.*	都有 chop	*Lamb chop.* 羊排。	羊排
pork chop 〔ˈpɔrk ˈtʃɑp 〕*n.*		*Pork chop.* 豬排。	豬排
fish fillet 〔ˈfɪʃ fɪˈle 〕*n.*		*Fish fillet.* 魚排。	魚排

【對話練習】

【中文翻譯】

：你比較喜歡甘藍沙拉、凱撒沙拉，還是田園沙拉？

：凱撒沙拉，謝謝。

：要什麼湯？

：你們有什麼湯？

：玉米湯、蛤蜊濃湯，和蘑菇濃湯。

：你們有特餐嗎？

：我們今日的特餐是羊排、豬排，和魚排。

：我要蛤蜊濃湯和羊排，謝謝。

** prefer〔prɪˋfɝ〕v. 比較喜歡　　Caesar〔ˋsizɚ〕n. 凱撒

salad〔ˋsæləd〕n. 沙拉　　soup〔sup〕n. 湯

corn〔kɔrn〕n. 玉米　　clam〔klæm〕n. 蛤蜊

chowder〔ˋtʃaʊdɚ〕n. 海鮮總匯濃湯；巧達湯

mushroom〔ˋmʌʃrum〕n. 蘑菇

special〔ˋspɛʃəl〕n. 特餐

lamb〔læm〕n. 羔羊　　chop〔tʃɑp〕n. 小肉片

fillet〔ˋfɪlɪt , fɪˋle〕n. (沒有魚骨的) 魚切片；里肌

Eat Healthy

35. Expensive Chinese Food
昂貴的中式餐點

看英文唸出中文	一口氣說九句	看中文唸出英文

tuna[5]
(ˈtunə) *n.*

都是海鮮

Tuna.
鮪魚。

鮪魚

oyster[5]
(ˈɔɪstɚ) *n.*

Oyster.
生蠔。

牡蠣；
蠔

prawn
(prɔn) *n.*

Prawn.
明蝦。

明蝦

---

abalone
(ˌæbəˈlonɪ) *n.*

字首是ABC

Abalone.
鮑魚。

鮑魚

bird's nest
(ˈbɝdz ˈnɛst) *n.*

Bird's nest.
燕窩。

燕窩

crab[2]
(kræb) *n.*

Crab.
螃蟹。

螃蟹

---

scallop
(ˈskɑləp) *n.*

字首是S

Scallop.
干貝。

干貝

shark's fin
(ˈʃɑrks ˈfɪn) *n.*

Shark's fin.
魚翅。

魚翅

suckling pig
(ˈsʌklɪŋ ˈpɪg) *n.*

Suckling pig.
乳豬。

乳豬

【對話練習】

【中文翻譯】

👧：在昂貴的中餐廳能找到什麼？

🧑：你可以找到鮪魚、生蠔、明蝦、鮑魚、燕窩、螃蟹、
干貝、魚翅，以及乳豬。

👧：哇。中國人一定很愛海鮮。

🧑：是的，我們很愛。

👧：聽起來很棒。我們今晚就去吧。

** nest〔nɛst〕*n.*（鳥）窩　　shark〔ʃɑrk〕*n.* 鯊魚
fin〔fɪn〕*n.* 鰭
suckling〔'sʌklɪŋ〕*adj.* 尚未斷奶的；乳臭未乾的
wow〔waʊ〕*interj.* 哇　　seafood〔'si,fud〕*n.* 海鮮
fantastic〔fæn'tæstɪk〕*adj.* 很棒的
Sounds fantastic. 是由 It sounds fantastic. 簡化而來。

【劉毅老師的話】

　　以前的人從閱讀中學英文，造成「啞巴
英語」。「英文一字金」把常用的單字用嘴巴
說出，腦袋裡同時存在一千多個極短句，一
開口就能說出一連串讓人震撼的句子。學英
文只有一個字——「背」就對了！

Eat Healthy

36. Alcoholic Beverages
酒　類

看英文唸出中文	一口氣說九句	看中文唸出英文

beer²
〔 bɪr 〕*n.*

brandy
〔ˈbrændɪ 〕*n.*

Bloody Mary
〔ˈblʌdɪ ˈmɛrɪ 〕*n.*

字首都是 B

Beer.
啤酒。

Brandy.
白蘭地。

Bloody Mary.
血腥瑪麗。

啤酒

白蘭地

血腥瑪麗

---

cocktail³
〔ˈkɑkˌtel 〕*n.*

cognac
〔ˈkonjæk 〕*n.*

champagne
〔 ʃæmˈpen 〕*n.*

字首都是 C

Cocktail.
雞尾酒。

Cognac.
干邑白蘭地。

Champagne.
香檳。

雞尾酒

干邑白蘭地

香檳

---

wine¹
〔 waɪn 〕*n.*

whisky⁵
〔ˈhwɪskɪ 〕*n.*

vodka
〔ˈvɑdkə 〕*n.*

字首是 W

Wine.
葡萄酒。

Whisky.
威士忌。

Vodka.
伏特加。

葡萄酒

威士忌

伏特加

【對話練習】

【中文翻譯】

：我能為你準備什麼？

：你們有什麼？

：我們有啤酒、白蘭地、各種雞尾酒、干邑白蘭地、
　香檳、葡萄酒、威士忌，和伏特加。

：就這些？

：嗯，我會調製很棒的血腥瑪麗。

：我要那個。

** get〔gɛt〕v. (為某人) 拿來；取來
we've got 我們有 (= we have)
various〔ˈvɛrɪəs〕adj. 各種不同的
cocktail〔ˈkɑkˌtel〕n. 雞尾酒
make〔mek〕v. 調製
mean〔min〕adj.【俚】出色的；很棒的
take〔tek〕v. 吃；喝

自我測驗 31～36

※ 請看下面中文，唸出英文來，你會唸得很痛快。

31. □ 細長圓麵 _____
□ 細扁麵 _____
□ 千層麵 _____

□ 披薩 _____
□ 義大利方餃 _____
□ 義式燉飯 _____

□ 義大利麵 _____
□ 通心粉 _____
□ 天使麵 _____

32. □ 松露 _____
□ 食用蝸牛 _____
□ 鵝肝 _____

□ 魚子醬 _____
□ 鴨胸 _____
□ 燉牛肉 _____

□ 洋蔥湯 _____
□ 龍蝦濃湯 _____
□ 熔岩蛋糕 _____

33. □ 菲力 _____
□ 沙朗 _____
□ 牛小排 _____

□ 小牛肉 _____
□ 丁骨 _____
□ 肋眼 _____

□ 和牛 _____
□ 神戶牛 _____
□ 紐約牛排 _____

34. □ 甘藍沙拉 _____
□ 凱撒沙拉 _____
□ 田園沙拉 _____

□ 玉米湯 _____
□ 蛤蜊濃湯 _____
□ 蘑菇濃湯 _____

□ 羊排 _____
□ 豬排 _____
□ 魚排 _____

35. □ 鮪魚 _____
□ 牡蠣；蠔 _____
□ 明蝦 _____

□ 鮑魚 _____
□ 燕窩 _____
□ 螃蟹 _____

□ 干貝 _____
□ 魚翅 _____
□ 乳豬 _____

36. □ 啤酒 _____
□ 白蘭地 _____
□ 血腥瑪麗 _____

□ 雞尾酒 _____
□ 干邑白蘭地 _____
□ 香檳 _____

□ 葡萄酒 _____
□ 威士忌 _____
□ 伏特加 _____

※ 請看下面英文，唸出中文來，還有哪個字你不認識嗎 ?!

31. ☐ spaghetti _____
　　☐ linguine _____
　　☐ lasagna _____

　　☐ pizza _____
　　☐ ravioli _____
　　☐ risotto _____

　　☐ pasta _____
　　☐ macaroni _____
　　☐ capellini _____

32. ☐ truffle _____
　　☐ escargot _____
　　☐ foie gras _____

　　☐ caviar _____
　　☐ duck breast _____
　　☐ stewed beef _____

　　☐ onion soup _____
　　☐ lobster bisque _____
　　☐ lava cake _____

33. ☐ fillet _____
　　☐ sirloin _____
　　☐ spare rib _____

　　☐ veal _____
　　☐ T-bone _____
　　☐ rib eye _____

　　☐ Wagyu _____
　　☐ Kobe beef _____
　　☐ New York strip _____

34. ☐ coleslaw _____
　　☐ Caesar salad _____
　　☐ garden salad _____

　　☐ corn soup _____
　　☐ clam chowder _____
　　☐ mushroom soup _____

　　☐ lamb chop _____
　　☐ pork chop _____
　　☐ fish fillet _____

35. ☐ tuna _____
　　☐ oyster _____
　　☐ prawn _____

　　☐ abalone _____
　　☐ bird's nest _____
　　☐ crab _____

　　☐ scallop _____
　　☐ shark's fin _____
　　☐ suckling pig _____

36. ☐ beer _____
　　☐ brandy _____
　　☐ Bloody Mary _____

　　☐ cocktail _____
　　☐ cognac _____
　　☐ champagne _____

　　☐ wine _____
　　☐ whisky _____
　　☐ vodka _____

INDEX・索引

※ 可利用索引，檢查你是否都認識這些字。

Eat Healthy

全書 324 句

1. 熱性食物；**2. , 3.** 寒性食物

4. , 5. 平性食物；**6.** 有毒的食物

1. Date.
   Durian.
   Almond.

   Longan.
   Lichee.
   Cherry.

   Peach.
   Guava.
   Olive.

2. Pear.
   Pomelo.
   Persimmon.

   Plum.
   Melon.
   Watermelon.

   Strawberry.
   Mulberry.
   Banana.

3. Starfruit.
   Grapefruit.
   Dragon fruit.

   Tomato.
   Tangerine.
   Kiwi.

   Wax apple.
   Loquat.
   Mangosteen.

4. Apple.
   Pineapple.
   Custard apple.

   Lime.
   Lemon.
   Orange.

   Grape.
   Mango.
   Avocado.

5. Sesame.
   Sugarcane.
   Sweet potato.

   Peanut.
   Papaya.
   Passion fruit.

   Fig.
   Yam.
   Pomegranate.

6. Alcohol.
   Animal organs.
   Artificial sweetener.

   Barbecue.
   Fat.
   Fried food.

   MSG.
   Instant noodles.
   Pickled products.

7. 排毒食物；8. 增強免疫力；
9. 抗氧化食物

10. 促進代謝；11. 鹼性食物；
12. 酸性食物

7. Broccoli.
Cauliflower.
Bamboo shoots.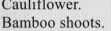

Artichoke.
Asparagus.
Brown rice.

Seaweed.
Wood ear.
Sweet potato leaves.

10. Cod.
Corn.
Clam.

Ginger.
Garlic.
Green tea.

Potato.
Purple rice.
Pumpkin seeds.

8. Crab.
Cheese.
Yogurt.

Shrimp.
Squid.
Tuna.

Bell pepper.
Bitter squash.
Pine nut.

11. Carrot.
Cabbage.
Cucumber.

Chili.
Celery.
Okra.

Lettuce.
Loofah.
Lotus root.

9. Blueberry.
Blackberry.
Cranberry.

Raspberry.
Wolfberry.
Water spinach.

Pumpkin.
Sardine.
Sea cucumber.

12. Cake.
Chips.
Chocolate bars.

Bread.
Burgers.
Canned soup.

Pasta.
Peanut butter.
All processed foods.

13. , 14. 高膽固醇食物；
15. 預防中風的食物

16. , 17. 易脹氣食物；
18. 消脹氣食物

13. Egg yolk.
    Salted egg.
    Preserved egg.

    Seafood.
    Sausage.
    Dried fish.

    Pigskin.
    Chicken skin.
    Pigs' feet.

14. Cream.
    Cured meat.
    Cod liver oil.

    Pastry.
    Mayonnaise.
    Pork floss.

    Egg dumpling.
    Rice dumpling.
    Fried chicken steak.

15. Mushroom.
    Mung bean.
    Milkfish.

    Black bean.
    Black fungus.
    Eggplant.

    Oatmeal.
    Olive oil.
    Propolis.

16. Coffee.
    Cola.
    Chestnut.

    Cashew.
    Chewing gum.
    Chicken nuggets.

    Beer.
    Beverage.
    Broad bean.

17. Pea.
    Pecan.
    Pistachio.

    Pepper.
    Pig's blood cake.
    Scallion pancake.

    Donut.
    Walnut.
    Macadamia.

18. Honey water.
    Coconut water.
    Coconut flesh.

    Black tea.
    Oolong tea.
    Pu-erh tea.

    Kimchi.
    Kumquat.
    Lemonade.

19. 舒壓食物；
20. , 21. 減重食物

22. 止咳化痰食物；23. 有益眼睛
的食物；24. 助眠食物

19. Beet.
   Beef.
   Raisin.

   Egg.
   Eel.
   Dark chocolate.

   Pretzels.
   Flaxseeds.
   Lotus seeds.

20. Borsch.
   Black coffee.
   White fungus.

   Bean curd.
   Bean sprout.
   Red bean.

   Lean.
   Leek.
   Leafy greens.

21. Salad.
   Salmon.
   Soba noodles.

   Boiled egg.
   Boiled potato.
   Chicken breast.

   Purple laver.
   Probiotic.
   Konjac jelly.

22. Duck meat.
   Duck eggs.
   Jellyfish.

   Steamed pear.
   Steamed apple.
   Turnip.

   Carp.
   Venus clam.
   Chrysanthemum.

23. Pork liver.
   Sunkist.
   Sunflower oil.

   Cantaloupe.
   Cherry tomato.
   Bok choy.

   Abalone.
   Amaranth.
   Basil.

24. Soybean milk.
   Soy products.
   Sunflower seeds.

   Shellfish.
   Saury.
   Oysters.

   Cinnamon.
   Brown sugar.
   Job's tears.

25. , 26. 麥當勞；
27. 各種蛋的吃法

28. 麵包；**29.** 咖啡；
30. 甜點

25. Hambruger.
Cheeseburger.
Double Burger.

McChicken.
Fried chicken.
Chicken nuggets.

Big Mac.
Quarter Pounder.
Filet-O-Fish.

28. Bun.
Bagel.
Biscuit.

Pita.
Croissant.
Garlic bread.

Roll.
Scone.
Baguette.

26. Fries.
McMuffin.
Pancake.

Apple pie.
Sundae.
Shake.

Sprite.
Fanta.
Coca-Cola.

29. Latte.
Mocha.
Espresso.

Americano.
Cappuccino.
Macchiato.

Decaf.
Irish coffee.
Blue Mountain.

27. Over-easy.
Sunny-side up.
Scrambled eggs.

Boiled egg.
Soft-boiled.
Hard-boiled.

Omelet.
Poached egg.
Eggs Benedict.

30. Tart.
Tiramisu.
Macaron.

Mousse.
Pie.
Pudding.

Cookie.
Crepe.
Cheesecake.

31. 義大利菜；32. 法國菜；
33. 美國食物

34. 美國食物；
35. 昂貴的中式餐點；36. 酒類

31. Spaghetti.
Linguine.
Lasagna.

Pizza.
Ravioli.
Risotto.

Pasta.
Macaroni.
Capellini.

34. Coleslaw.
Caesar salad.
Garden salad.

Corn soup.
Clam chowder.
Mushroom soup.

Lamb chop.
Pork chop.
Fish fillet.

32. Truffle.
Escargot.
Foie gras.

Caviar.
Duck breast.
Stewed beef.

Onion soup.
Lobster bisque.
Lava cake.

35. Tuna.
Oyster.
Prawn.

Abalone.
Bird's nest.
Crab.

Scallop.
Shark's fin.
Suckling pig.

33. Fillet.
Sirloin.
Spare rib.

Veal.
T-bone.
Rib eye.

Wagyu.
Kobe beef.
New York strip.

36. Beer.
Brandy.
Bloody Mary.

Cocktail.
Cognac.
Champagne.

Wine.
Whisky.
Vodka.

句子越短越好背

　　許多人學英文，學到最後放棄了，因為英文單字無限多。人類為了想走捷徑，發明文法和語法，規則無限多，例外也無限多。怎麼可能把人類講的話或寫的文章，訂成規則，而忽略無數的例外。

　　少數英文好的人編的教科書，沒有生命，和實際會話不一樣，如：一般人說 Wonderful! 難道要說 It's wonderful! 才對嗎？Have you been abroad?（你出過國沒有？）是句子沒錯，但美國人都說：**Been abroad?** 所以，用文法造句很危險。最好的方法，是背極短句，越短越好，甚至是一個字。九個單字當然比九個句子好背。在歐洲，已經有人提倡背句子了，但是，我們領先至少 20 年，他們還不知道要背短句、短句、極短句。

　　我們腦袋中，有短期記憶和長期記憶，大家都忽略了長期記憶，容量無限大。只要把想背的單字唸個 100 遍，就能放在長期記憶，小孩也許只要 20 遍，年紀越輕，背得越快。用這種方法背單字，對年輕人很有效，對成年人更好，能夠增強記憶，預防失智症。

　　這本單字你非背不可，對你的身體很重要。有意義的單字經過精心編排，一旦背到變成直覺，就終生不會忘記，唯有不忘記，才能累積，否則背到後面，前面會忘掉。

　　英文單字有 17 萬 1,476 個，根據牛津英語語料庫（OEC）的統計，只要背最常用的 7,000 個單字，就能看懂一般文章 90％ 的內容。如果不限定範圍，把常用和不常用的單字混在一起，無論怎麼學，都浪費時間，忽略了常用的單字，英文永遠學不好。

　　學英文最簡單的方法，就是背短句。句子越短越好背，最高的境界，是一個字一句話，很快就可以輸入長期記憶中。「英文一字經」即將研發完成，不僅單字可以快速增加，而且學了就會用。

劉毅

劉毅「英文一字金」每週四上課

　　一個人背單字很辛苦，大家一起背就變簡單。「英文一字金」的發明，將讓同學快速增加單字。寫作能力、會話能力，考試能力都能大幅提升。

Ⅰ. **開課目的：** 把這種顛覆傳統的方法，快速傳播出去，解救受苦受難的同學和老師。背了「英文一字金」，便能看到學好英文的希望。

Ⅱ. **收費標準：** 9,900元（課程結束前，在一分半鐘內背完216句，可得獎學金1萬元）

Ⅲ. **上課內容：** 協助同學背完「英文一字金」216句，並利用這216句排列組合，可以演講、寫作、準備考試。唯有背到一分半鐘之內，變成直覺，成為長期記憶，才能累積。

Ⅳ. **上課時間：** 每週四晚上6:30～9:30，共16週。循環上課，隨到隨上。

Ⅴ. **報名資格：** 不限年齡、不限程度，人人可以參加。特別歡迎英文老師，背完後，把這個革命性的方法傳出去。

Ⅵ. **上課地點：** 台北市許昌街17號6樓　TEL: (02) 2389-5212
　　　　　　　　（台北火車站前，捷運8號出口，1分鐘即可到達）

從小背「一口氣」爭一口氣！

本書所有人

姓名 _____ 電話 _____

地址 _____

（如拾獲本書，請通知本人領取，感激不盡。）

「英文一字金⑤養生救命經」背誦記錄表

篇　　　　名	口試通過日期	口試老師簽名
1. Hot-Natured Foods		
2. Cold-Natured Foods (1)		
3. Cold-Natured Foods (2)		
4. Neutral-Natured Foods (1)		
5. Neutral-Natured Foods (2)		
6. Toxic Foods		
7. Detox Foods		
8. Strengthen Your Immune System		
9. Antioxidant Foods		
10. Boost Metabolism		
11. Alkaline Foods		
12. Acidic Foods		
13. High-Cholesterol Foods (1)		
14. High-Cholesterol Foods (2)		
15. Diet for Stroke Prevention		
16. Flatulent Foods (1)		
17. Flatulent Foods (2)		
18. Deflatulent Foods		

篇　　　　　名	口試通過日期	口試老師簽名
19. Stress-Relieving Foods		
20. Weight-Loss Foods (1)		
21. Weight-Loss Foods (2)		
22. Cough Suppressant and Decongestant		
23. Foods for Good Eyesight		
24. Foods for Insomnia		
25. McDonald's (1)		
26. McDonald's (2)		
27. All Kinds of Eggs		
28. Bread		
29. Coffee		
30. Desserts		
31. Italian Food		
32. French Food		
33. American Food (1)		
34. American Food (2)		
35. Expensive Chinese Food		
36. Alcoholic Beverages		

全書 324 句

英文一字金⑤ 養生救命經
One Word English ⑤ Eat Healthy

附錄音 QR 碼　售價：280 元

主　　　　編 /	劉　毅	
發　行　所 /	學習出版有限公司	☎ (02) 2704-5525
郵　撥　帳　號 /	05127272 學習出版社帳戶	
登　記　證 /	局版台業 2179 號	
印　刷　所 /	裕強彩色印刷有限公司	
台　北　門　市 /	台北市許昌街 10 號 2F	☎ (02) 2331-4060
台灣總經銷 /	紅螞蟻圖書有限公司	☎ (02) 2795-3656
本公司網址	www.learnbook.com.tw	
電　子　郵　件	learnbook@learnbook.com.tw	

2019 年 5 月 1 日初版

4713269383277

「英文一字金」每個句子
都經過特殊編排，容易背得下來。
只要持續唸，就能變成直覺。

能夠表達完整思想的，
　　就是「句子」。
一字一句，學得最快，
最容易變成長期記憶。

一天背10個單字，
不等於一年背好3,650個，
因為背到後面，前面會忘掉。
唯有背了不忘記，才能累積。

每天嘴裡唸唸有辭，唸「英文一字金」，
不會無聊，又有成就感，快樂無比！